Sans refuge

Maryse Andraos

Roman

Le Cheval
d'août

Je suis cette demeure hantée par un cri.
La nuit, ça claque des ailes
et part, toutes griffes dehors, chercher de quoi aimer.

SYLVIA PLATH, *Ariel*

Là où n'entre pas la clarté

Parc industriel, 2017

C'est la radio qui t'a tirée du sommeil, une voix méca-nique, gorgée de caféine. Son débit te traverse comme une décharge, révoltes, sang, catastrophes naturelles; il faudrait déjà être debout, pieds nus sur le parquet glacial du corridor. Il fait si sombre. À quoi rêvais-tu? Sous la douche tu restes immobile, les yeux fermés tu espères que le jet te couvre, te submerge. L'eau et le savon roulent sur ta peau, lavant la fatigue de la nuit, et sur tes doigts s'entortillent tes cheveux qui se détachent par poignées. Déodorant, crème, boucles d'oreilles, mascara. Tu avales tes céréales sans les goûter.

Dans le wagon de métro, le mélange entêtant des parfums te monte à la tête: ce sac à main à écailles rouge, luisant, sexe ouvert et baveux; le sourire doux de la femme qui le porte, amoureuse, son corps entier le crie.

Au terminus, l'autobus est parti sans toi. Un quart d'heure et il revient vide, repart vers le parc industriel, chargé de silhouettes transies. Du coin de l'œil tu les observes, les autres travailleurs aux peaux basanées, leurs cernes qui dégringolent jusqu'aux joues, leur indifférence teintée d'abdication. Ils débarqueront à l'entrepôt de tissus, à l'usine à viande, à la compagnie de calorifères, ou bien au bâtiment gouvernemental, sur un étage fermé où tu ne les as jamais aperçus. Le bus zigzague entre de bas édifices en béton, contourne des camions qui clignotent et des camions qui reculent; c'est ton tour de tirer la corde jaune, précipitée dans la nudité d'un stationnement. Repliée contre le vent, tu avances à l'aveugle sur la neige et la glace; la grande porte en vitre se referme sur toi dans un bruit d'air comprimé. «Bonjour Naïma, ça va bien, et toi?»

Ton patron immédiat te convoque à son bureau ceint de larges fenêtres, éveillé, droit, rasé de près, aucune photo d'enfant. Tu pourrais le trouver beau si tu le croisais dans la rue par hasard, avec d'autres vêtements, un tricot vert foncé qui ferait ressortir l'éclat de ses yeux, pourquoi cette pensée alors qu'il te faut écouter attentivement ses directives? Il te confie un projet: oublie le moindre détail et ton incompétence sera confirmée, d'ailleurs tu ne travailles ni assez vite ni assez bien, c'est ce qu'il te fait comprendre maintenant, avec tact mais sans ambiguïté; tant de personnes souhaiteraient être à ta place, et ta période d'essai qui tire à sa fin. Tu te fais petite sur le siège blanc que tu as la certitude de souiller.

Pourtant, une fois la porte refermée, ton thorax s'entrouvre à cette idée nouvelle: être renvoyée.

Publique, tu l'es dans chacun des lieux que tu parcours – corridors, ascenseurs, bureaux; mesure et conscience de soi, boutonné le veston, regards qui voient ou ne voient pas. Ce tapis tu t'y enfoncerais, à l'abri des témoins qui te percent et peuvent lire ton imposture. Il faut toujours parler, se préparer à une éventuelle rencontre. Même les toilettes sont des occasions de socialiser. As-tu fait ton rapport d'impôt?

Sur ton cabaret, tu déposes :

une canette de thé glacé
une assiette de lasagne
une petite salade jardinière
un contenant de fruits coupés
une serviette en papier
un couteau, une fourchette, une cuillère
un sachet de sel
la monnaie que te rend la caissière
une pastille mentholée (tu as failli l'oublier).

À la cafétéria, Kristelle se vante de sa routine d'entraî-
nement et de son plan d'alimentation sans glucides,
de ces choix que l'on fait pour soi, une certaine idée
de l'épanouissement : chaussures et manucure assor-
ties, propriétaire d'un condominium en banlieue où elle
file le parfait bonheur avec son conjoint rencontré au
secondaire, un quotidien de cuisine rénovée et de tout-
inclus dans les Caraïbes. Kristelle mange ses collations
à heure fixe, mais toi tu sais, tu l'as surprise en larmes
ce matin dans les toilettes, tu ne diras rien mais tu sais.

Accotée contre le mur de briques, tu grilles une cigarette, les joues fouettées par la poudrerie, tu ne sens
plus l'extrémité de tes mains. Il n'y a rien à voir que
tu ne connaisses déjà : tout est à sa place, les dalles de
ciment recouvertes de gel, les voitures attendant qu'on
se serve d'elles. Cette fois tu te souviens : tu as rêvé de
la mer. Tu cadrais les paysages dans ton objectif, majes-
tueux, ta robe frôlant tes jambes, l'herbe douce le sable
chaud. Tu as voulu consulter les images à l'écran de ton
appareil mais elles s'étaient effacées : quelqu'un te les
avait volées.

Seule dans l'ascenseur, portes closes, emportée vers le ciel. Dans le mouvement qui te soulève tu restes suspendue, là où l'instant se défait. Avec la pression tu ne perçois plus que des sons étouffés, un voile translucide te protège du réel. Les chiffres des étages s'illuminent, marche implacable de ta réapparition qui s'accélère, et pendant quelques secondes tu voles les pieds au sol, intouchable.

Tu trouverais à ton retour les bureaux renversés, tiroirs ouverts, leur contenu révélé dans le désordre : photographies de plage, stylos, trombones et brochures d'assurances. Tu t'aventurerais avec précaution parmi les cloisons défoncées, fouillant l'endroit du regard. Personne. Par les fenêtres tu verrais – tu verrais la ville s'étendre devant toi, splendide et affolante, ses tours dressées contre le brouillard, crachant leur fumée, et à l'intérieur ces existences verticales, ces gens qui te ressemblent, endormis et déçus, peut-être même apercevrais-tu la promesse du fleuve (oui, il te faudrait la présence calme de l'eau), et un boisé au loin, chaque arbre semblable à une brindille trouant la neige.

Par une vitre fracassée, une bise glaciale gonflerait ton ventre. Autour de toi, des feuilles de papier qui virevoltent, des mots et des mots valsant dans l'air, rendus au chaos.

Dans ton cubicule rien n'a bougé, pas même ta chaise tournée vers le couloir. À l'écran, le curseur clignote entre le *i* et le *r,* là où tu as corrigé une césure avant de partir. Marcella se trouve à ta droite derrière son panneau de toile, comme si elle n'avait jamais quitté son poste, avec ses boucles noires en nuage sur ses épaules. Vous travaillez des heures sans échanger une seule parole, à deux mètres l'une de l'autre, présences délicates et volatiles. Elle pourrait être ton amie : vous prendriez un verre dans un bar aseptisé, et pendant qu'elle te raconterait son passé tu fixerais ses lèvres minces, ses longs doigts fins qui se délient.

Sur le trottoir qui te ramène à l'appartement, tes poignets tournent au rythme de tes pas, danse furtive et invisible. La rivière souterraine digère la ville sous les grilles d'égout, éructant le bitume, le métal, la pizzéria, combien de rats. Il suffirait que le panneau cède sous tes pieds pour que l'eau t'avale. Déjà, tu peines à résister à son appel.

Dépose le sac. Dépose
la nourriture, la musique, les clés.

Dépose-toi.

Derrière chaque fenêtre de ta rue scintillent des images, phosphorescentes, ton amnésie répétée de soir en soir, ton absence. Tu plies tes vêtements, te peins les ongles, feuillettes des revues distraitement avant de gober le comprimé qui soigne ton insomnie. Tu espères un appel, le passage d'une amie à l'improviste, mais quand cela se produit ce n'est pas le bon moment. On le comprend à ta voix ennuyée, on te dérange.

Pour l'heure, les corps reposent dans leur lit, repus, près de la sonnerie programmée pour le lendemain.

Une vie simple

Maison unifamiliale, 2016

Vous arrivez chez Simon et Delphine en fin d'après-midi. Leur maison est sombre à l'intérieur, ça paraît petit, mais il y a du potentiel – des murs qu'on planifie d'abattre, des comptoirs en bois récupéré, un terrain à l'arrière où fleurit une jungle joyeuse. Vous vous assoyez à une table de jardin bancale auprès du jeune Ludovic, autour duquel tout s'est reconstruit: une masse de chair boudinée qui arpente, à quatre pattes, un parc pour bébé. Vos amis sont heureux. Ça se sent. Delphine resplendit avec ses longs cheveux soyeux qu'elle ne lave jamais, son humour énergique se répand avec l'agilité d'un pollen. On ne croirait pas qu'un petit humain est passé à travers son corps, qu'il a enflé en elle, bousculé ses organes, donné des coups de pied avant de se frayer une sortie par le bas.

Avec Nathan, tu t'empiffres de hors-d'œuvre; vous vous êtes levés tard, n'avez pas dîné. L'enfant aussi a faim: il pleure un peu, puis se tait, la bouche emplie du mamelon de sa mère.

Delphine réprime un bâillement en pinçant les lèvres, attentive aux tétées de Ludovic dont la bouche inconstante engloutit et régurgite le lait maternel. L'enfant redéfinit la magnitude de l'amour, un amour si puissant qu'il terrifie, puisque rien ne protège ce petit être en dehors d'elle-même. On ne revient pas d'une telle expérience, dit-elle en riant à ses amis, comme si elle n'avait pas passé des nuits à pleurer avec son fils dans les bras, impuissante à soulager le besoin derrière le cri.

J'apprivoise une nouvelle présence, ajoute Delphine, qui agrandit la mienne de l'intérieur : un autre corps, une double inquiétude, une joie qui m'excède de toutes parts ; j'oublie tout, j'en perds le contact avec l'extérieur. Parfois j'ai l'impression d'être gelée, blague-t-elle. Mais rien n'égale l'heure de l'apéro, auquel j'aurai droit, merci, après le repas de l'enfant béni.

Cela fait à peine trente minutes que ses amis vantent les joies de la propriété privée et Nathan trouve le temps long. Ce doit être merveilleux de jouir de la nature environnante, circonscrite par un parc-nature payant et une berge de rivière polluée, rouspète-t-il intérieurement entre une gorgée de riesling et une poignée de chips. Il aurait mieux fait de rester chez lui, dans son salon tiède où il aurait brûlé sa pépite de haschich en errant d'un bout à l'autre de son fil d'actualité. Peut-être aurait-il repris l'écriture de sa pièce pour quatuor à cordes, intouchée depuis des semaines. Il vide sa coupe pour éviter d'y penser, écoute les divagations enthousiastes de Delphine sur les germinations, tellement riches en nutriments – « Ah oui, acquiesce Naïma, on devrait faire ça nous aussi. »

Il a parfois l'impression de ne pas la connaître. Naïma fume un demi-paquet par jour, fait mourir toutes ses plantes, cuisine à peine – et elle voudrait faire germer de la luzerne pour ses salades. Il se demande combien elle a de personnalités en réserve ; de toutes, quelle est celle qui se rapproche le plus de la vérité.

Lorsqu'on l'interroge sur son doctorat en composition musicale, Nathan est intarissable. Les concepts qu'il étudie sont inaccessibles à Simon et Delphine, tu le vois à leur expression perdue, et ses pièces, une cacophonie à leurs oreilles, mais sa fougue convaincrait n'importe qui de payer pour les entendre. Nathan n'a peur de rien, l'ambition le propulse. Pourtant il doute, comme n'importe quel artiste, quand il joue et compose, échoue, désespère, recommence. La différence entre toi et lui, c'est qu'il ne se laisse pas anéantir par des questionnements constants sur sa valeur; ces questionnements, il les considère inutiles, voire nombrilistes, une insulte aux dons précieux qui nous sont accordés. Il persiste, et son obstination l'emporte. Quant à toi, tu gaspilles ton talent et ce n'est pas défendable. Il ne le dit pas mais tu l'entends, à mots couverts, t'accuser de prendre la même voie que tes amis. Le voilà qui égrène son pot sur la table. Nathan a toujours eu quelque chose de décalé. Cela te plaisait, au début.

Tu l'as rencontré par des amis communs dans une manifestation. Tu tenais une pancarte où était inscrit «CHOU-FLEUR PARTOUT, JUSTICE NULLE PART»; vous avez inventé de nouveaux slogans absurdes durant la marche, atteints d'une étrange euphorie. Le printemps vous gratifiait d'une chaleur enivrante, et vos pas se suivaient sans effort : le sol avançait à votre place.

Au commencement, vous aviez une disposition naturelle pour le jeu. Vous voliez des plantes dans les supermarchés; l'emplacement des cônes dans la rue changeait sur votre passage, quand vous ne les rapportiez pas carrément chez vous. Votre quotidien était une aventure perpétuelle. Pendant qu'il échangeait les étiquettes de prix sur les viandes, tu prenais des chocolats sous le comptoir en discutant avec le caissier. Vous partiez sur un coup de tête, plantiez votre tente sur n'importe quelle friche. Tu aimais Nathan pour ce qu'il te faisait devenir, pour la promesse que vous vous étiez faite de rester du côté de l'imprévisible.

Simon place les brochettes de tofu sur le gril, la tête légèrement inclinée vers l'arrière pour éviter la fumée, pose les pinces sur une assiette en verre brun et essuie son front dégoulinant avec son avant-bras. «Il y a deux ans, je t'aurais ri au nez si tu m'avais dit que j'achèterais une maison en banlieue», plaisante-t-il en se tournant vers Nathan, qui s'empare du long briquet à barbecue et allume son joint. «C'est l'héritage qui t'a convaincu?» réussit à articuler Nathan après une première poffe calcinée. Simon jette un œil à Delphine, assise à la table, à leur fils Ludovic sur les genoux de Naïma. Comment expliquer à Nathan que c'est arrivé, simplement, et qu'à force d'évictions et de revers, la précarité use? Une chaleur humide pèse sur leurs tempes, ralentit la parole.

Nathan se souvient d'une autre époque, où le vent les soulevait de terre. C'est bien avec cet ami-là qu'il a occupé une vieille école en ruine aux Îles-de-la-Madeleine il y a trois ans, celui qui ne jurait que par la vie en communauté, si convaincu que Nathan trouvait qu'il exagérait... Ce Simon-là, dédaignant le salariat et les études, lui avait paru plus libre qu'eux tous, contraints de retourner en septembre à leurs obligations plus ou moins choisies, alors qu'au contraire, ses convictions lui pesaient, c'est ce qu'il avoue maintenant:

« J'étais fatigué du collectif, tu comprends, j'avais tout donné et je me suis rendu compte en enterrant mon père que j'avais jamais eu de projet sérieux, quelque chose qui dure, et je me suis dit, y a rien de mal à désirer une vie simple, une famille, une maison. »

Oui, statue Nathan, voilà où on en est, à concentrer dans les petits gestes une lutte qui nous a foudroyés par son ampleur. Et qu'est-ce que je fais, moi, de différent, si ce n'est de croire que la musique peut encore nous sauver?

Voilà que cela le saisit, d'un coup: l'idée de quitter Naïma, et avec elle, la ville hurlante et asphyxiée. Nathan rêve de forêt et de vastitude. D'une brise chuchotant dans les arbres, qu'on ne sent pas mais qu'on entend agiter les alentours, doucement. Dans la maison résonnerait un piano où s'apprennent les arpèges, les mesures comptées à voix haute, les notes hésitantes d'un violon qui cherche sa justesse. Il y aurait des enfants, ceux qu'il entend crier en rêve, qui courent invisibles dans les champs – et à son réveil, toujours ces machines mugissant dans la rue. Comment peut-on ne pas être atteint par cela? Ah, comme ce serait bon et simple, exulte-t-il en humectant le joint avant de le passer à Simon, qui palabre sur la construction de son cabanon.

Tu secoues ton index retenu par la menotte vigoureuse de Ludovic. Assis sur tes genoux, le bébé lève des yeux interrogatifs vers toi, entre l'inquiétude et l'abandon. Il te semble que les nourrissons peuvent te lire comme le font les animaux, les chats qui t'approchent craintivement et te reniflent les doigts. Qu'as-tu vécu depuis les vingt-neuf années te séparant de lui pour devenir cette adulte terrifiée, dont l'existence se résume à des stratagèmes pour éviter de souffrir? Tu voudrais retrouver la fragilité doublée de détermination avec laquelle on naît. Dans l'immédiat, il y a le vin, mais la poigne obstinée de Ludovic t'empêche de prendre ton verre. «Bienvenue dans ma vie», rigole Delphine. Et pendant qu'elle t'entretient du sommeil de son fils, qu'elle ira bientôt coucher dans son berceau, ce que tu désires, c'est garder l'enfant dans tes bras, sentir sa poitrine chaude sous tes paumes, ses petites jambes tambouriner contre tes cuisses.

«Vraiment, tout est excellent», répète Naïma en s'acharnant sur un cube de tofu collé à sa brochette en bois, les dents de la fourchette plantées entre le soja mariné et un morceau de poivron vert. Si elle tire trop fort avec la fourchette, le tofu se détachera d'un coup pour aller nourrir les fourmis entre les dalles. Elle le rattrape à l'extrémité de son assiette, soulagée, le coupe en deux et compose une bouchée optimale avec une lanière de laitue vinaigrée et un haricot jaune. «Naïma a quelque chose à vous annoncer», lâche Nathan. Elle le dévisage, interdite, déglutit précipitamment, s'empresse de détourner la conversation sur son exposition de l'automne, une petite galerie, rien de bien important. Delphine se réjouit, sincère, suivie de Simon. Ils n'iront pas au vernissage; ce milieu n'est pas le leur. Naïma pose des questions sur l'accès à la rivière, tout près. «On pourrait y aller, après avoir mangé.» Nathan continue de la fixer, insolent. Il a trop bu, trop fumé. Le soleil descend sur les visages, juge d'un procès souterrain.

En débouchant la dernière bouteille, Nathan déclare le moment venu de trinquer. À la nouvelle propriété de ses amis, mais aussi à Naïma, qui s'est fait offrir un poste de graphiste au gouvernement : bon salaire, deux semaines de vacances, la définition de l'accomplissement, ajoute-t-il avec une gaieté caustique. Simon et Delphine ne parviennent pas à déceler s'il est sérieux. Mais Nathan insiste : Naïma a été retenue à l'entrevue d'embauche. Elle pense dire oui. Préfère s'éteindre dans un bureau que de poursuivre ses projets artistiques. Quel gâchis. Tout ce talent saboté pour la sécurité, les comptes bien payés à la fin du mois, le fonds de pension. C'est lâche, si vous voulez son avis.

Delphine, placide, considère la moue méprisante de Nathan, ce sauveur venu protéger Naïma de n'être personne. Quelle relation violente. Des années que ça lui brûle les lèvres, qu'elle le supporte pour ne pas éloigner son amie.

— J'imagine, Nathan, que c'est facile de cracher sur l'argent quand on n'en a jamais manqué. Pour toi, vivre de sa discipline, c'est un droit de naissance. Tu portais encore des couches quand ta mère t'a enseigné les gammes. À dix ans, t'étais sacré prodige; à vingt, tu gagnais tous les concours qui se présentaient à toi. Il me semble que tu devrais comprendre ta chance. T'aurais fait quoi si t'avais jamais reçu un sou pour tes études, si ta famille t'avait cent fois dissuadé de faire de la musique? Mais peut-être que t'es trop aveuglé par tes beaux discours anticapitalistes pour envisager que certaines personnes n'ont pas le choix?

— Vous allez pas l'encourager? s'impatiente Nathan.

— On va rien lui dire, elle fait ce qu'elle veut! s'énerve Delphine.

Nathan se lève, cherche le dernier mot, mais il est trop soûl pour le trouver. «Merci pour le souper, c'était délicieux», s'entend dire Naïma en rassemblant ses cigarettes, son briquet, les clés de la voiture. Ils traversent la cour en broussaille vers la clôture écaillée menant au stationnement. Quand Naïma se retourne, Delphine lui fait signe de lui téléphoner avec le pouce et l'auriculaire. Naïma articule en silence: «T'en fais pas.»

Vous marchez sous les bouleaux chargés d'humidité, jusqu'à atteindre la rivière. Le sable, détrempé, se déchiquette en plaques sous les pas. Des vers et des puces grouillent à la surface.

Il ne sait plus, dit-il, ce qui signifie qu'au fond il sait. Vous avancez sans vous toucher. Il y a trop longtemps que vous vivez à distance, sans autre lien que le souvenir d'avoir marché du même pas. Les paroles qu'il prononce le bouleversent.

Tu guettes ses larmes à la dérobée. L'eau se dissémine dans l'air, entoure les êtres et les choses d'un halo brouillé. Nathan accuse ton indifférence, mais c'est son propre esseulement qu'il pleure.

Tu vois la route se dérouler devant vous. Vos appartements respectifs où vous vous enfermerez, nerveux, blessés. Tu préférerais être le flot de la rivière qui épouse la forme des rochers, file, sans attaches, d'un choc à l'autre, mais en toi il n'y a aucun remous. Tu éprouveras l'onde bien après, quand il sera trop tard.

Les saisons de l'amitié

De chaque côté du fleuve, 2017

La première fois que tu as parlé à Delphine, c'était à travers un cylindre de béton. Il y en avait trois sur le terrain de l'école, couchés, vides à l'intérieur : un projet de construction abandonné. Tu t'y cachais à chaque récréation, épiant le dehors délimité par les deux grandes ouvertures rondes. Invariablement, des élèves montaient sur les installations et t'y surprenaient par le petit trou du dessus, maudit trou perfide.

Un jour, Delphine, non contente de t'espionner, t'a apostrophée d'un *qu'est-ce que tu fais ?* curieux et plein d'assurance. Levant la tête, tu as envoyé paître cette malotrue qui osait briser ta quiétude. Sans se démonter, elle a insisté : « Ils sont beaux tes bracelets. » Tu en portais une douzaine répartis aux poignets et à la cheville, confectionnés de fils tressés multicolores, de chanvre, de breloques et de petites billes sans valeur, et l'œuvre à laquelle tu travaillais, accrochée à ton pantalon par une épingle à couche, était la première d'un commerce que tu ambitionnais florissant.

Tu as regardé par la brèche. L'œil n'exprimait qu'une sympathie honnête.

Delphine a marché jusqu'à l'extrémité du cylindre et sauté à pieds joints sur la pelouse. Quand elle s'est accroupie dans l'embouchure, elle t'a souri. Ton cœur s'est gonflé : la cloche d'une méduse dans l'eau sombre.

«Si tu veux, je peux te montrer comment faire.»

Delphine ouvre les yeux. Le soleil, filtré par la gaze des rideaux, jette des taches opalescentes sur les murs, et les objets environnants reprennent peu à peu leur familiarité. Elle tend la main vers le verre d'eau intact sur la table de chevet, le cellulaire, presque sept heures. Elle se rappelle avoir atteint la cime d'une falaise, vu la ville à l'horizon : un grand cratère d'où montait un nuage dense qui renversait les gratte-ciel. Il fallait courir. Porter Ludovic, trouver un abri, n'importe lequel, contre la nuée noire, sauver les siens. Dans le rêve, Simon n'était pas là – n'avait-il pas déjà quitté le lit ? –, une absence qu'elle confirme en caressant le drap tiède, à l'endroit qu'il a délaissé. Nous sommes en vie, quelle grâce, s'apaise-t-elle en allongeant les jambes en travers du matelas. Derrière la porte, le présent frétille, il sent le pain doré, la lenteur joyeuse d'un samedi, il a la voix d'un enfant qui gazouille. L'idée de se rendormir est séduisante. Seulement quelques minutes de plus, dans la conscience tranquille de la poursuite du monde.

Le café a brûlé sur la cuisinière. Tu le boiras sans cérémonie, trop distraite pour tenter de nouveau ta chance avec les réalités pratiques, qui te résistent dès qu'elles pourraient t'être utiles. Tu reviens aux collages dans ton atelier, agences les photographies découpées sur de grands cartons, à l'ancienne, goûtant le calme et l'imperfection de la méthode, et tu oublies le reste – les notifications qui clignotent dans l'ordinateur éteint, la boisson âcre sur ta langue. Puis, la tasse entre les doigts, tu te diriges vers ton balcon, enfiles un manteau léger et sors dans la blancheur du matin, une cigarette aux lèvres, voler à l'enchaînement des heures un instant de gratuité.

Dehors, la rue ressemble à une zone de guerre : une pelle mécanique y a entassé des monticules d'asphalte morcelé, ouvrant au centre un gouffre parcouru par les canalisations. Tu baisses la tête vers le liquide au fond de ta tasse, ton visage et l'arbre voisin s'y reflètent : un portrait en noir et blanc, irisé, comme de l'essence mêlée à l'eau.

Simon et Delphine s'affairent de chaque côté de leur terrain, lui à genoux le long de la clôture, clouant les planches de bois qu'il vient de scier pour délimiter le potager, elle près de la verrière, préparant les semis d'intérieur. Parfois ils s'apostrophent, «Tu as vu les gants? On aura assez de terreau tu crois?» mais le reste du temps ils se taisent, chacun absorbé par sa tâche et pourtant raccordé à l'autre. Les pensées de Simon reviennent, avides, au cannabis sur la deuxième tablette de la pharmacie, égrenant les heures qui le séparent du souper de Delphine chez Naïma. Lorsqu'il s'autorise ce petit supplément, jouer avec son fils lui procure un bonheur augmenté. Il s'émeut d'être père, s'extasie devant l'intelligence de son garçon. Delphine, distribuant des graines dans la terre fraîche, se rappelle le second enfant dont son amoureux lui a parlé la veille. Si tu le veux cet enfant, mon amour, porte-le. Dans sa chambre à l'étage, Ludovic suce son pouce. Il rêve que son tamanoir en peluche a fui le domicile familial pour aller gober des fourmis.

Tu reviens dans ta cuisine et la solitude te happe:les fruits en décomposition dans leur panier, les feuilles fanées qu'une misère pourpre accumule sur le rebord de la fenêtre, soudées à la poussière. C'est à cette table que Nathan et toi étiez assis peu avant votre rupture, un samedi comme celui-ci. De menus restes l'encombraient:pelures d'orange et cuillères sur lesquelles achevait de sécher une mince pellicule de sucre. Ses mains. Elles occupaient l'espace, pleines et expressives, pianotant une musique inconnue, essuyant la trace d'un verre sur le bois. Il disait, Je ne peux pas t'atteindre, tu ne laisses personne t'atteindre. Lui aussi tu le laisserais partir, comme tu t'étais quittée sans le savoir, substituant à ta force vive capable d'amour une sorte de masse dure et indifférente, et cette masse tu la sentais t'attirer au fond de l'océan, dans l'obscurité froide et le silence.

Maintenant la lumière d'avril tombe sur toi, ouvrant un puits en ta poitrine. La fin n'est pas ici, pas aujourd'hui.

Inspire. L'air emplit tes poumons, jusqu'à soulever tes clavicules. Expire. Ventre, poitrine, gorge. Par ta respiration les nœuds se défont, ton corps prend racine. Par ta respiration tu existes, ici, maintenant. Tes jambes sont détendues. Ventre, mains, bras, visage : détendus. Laisse-toi aller, libère tes soucis. Tu paies pour ça.

Dans les vestiaires du centre de yoga, les luminaires des toilettes te révèlent, une constellation d'éphélides sur une peau olive, un animal que l'on surprend dans la forêt et qui a peur. La fatigue a creusé des sillons sur ton front, des ridules au coin des paupières. Rires, bruissements d'étoffes. Les miroirs s'inclinent, accueillent les visages.

Je n'ai aucun regret, réfléchit Delphine en jetant la litière souillée dans un sac à ordures, mais il faut reconnaître que les soins domestiques sont d'une exigence folle, depuis les cacas de mon adoré fils jusqu'à ceux de mon bien-aimé chat – enfin, sur ce point l'enfant passe avant l'animal, n'est-ce pas minou? Ça ne veut pas dire que je ne t'aime pas: vois, ta litière est propre et le parquet, bien balayé pour tes nobles pattes et celles de fiston, qui pourrait se mettre des granules dégoûtantes dans la bouche. J'ai même fait disparaître la boule de poils que tu as régurgitée, si ce n'est pas de l'amour je ne sais pas ce que c'est, murmure-t-elle en caressant le pelage gris-bleu de la bête. Déjà quinze heures et je n'ai pas touché à mes corrections, une vingtaine de tests de mathématiques, c'était vite expédié quand je n'étais pas mère, alors que maintenant le simple fait de m'asseoir à mon bureau demande une planification inouïe (c'est vrai, il faut que j'arrose les plantes, sans compter la brassée à transférer dans la sécheuse), et même si j'aime le sentiment d'accomplissement qui couronne mes journées, j'envie Naïma qui peut s'offrir le luxe de ne s'occuper que d'elle, bien que ce soit trop facile de dire ça, et même un peu injuste, car j'avais un horaire bien rempli avant Ludovic, la différence c'est que je ne me doutais pas que le temps pouvait se densifier à ce point, qu'il me faudrait assurer peu importe ce qui arrive, garder la cadence, être celle sur qui on compte.

Tu t'assois sur les marches d'un escalier, allumes une cigarette. Cette image, aperçue mille fois en ville : un fouillis de couvertures à carreaux et de panneaux en carton, un adolescent aux pantalons couverts de patches, crâne rasé sur les côtés, du lave-vitre, un gobelet contenant des pièces de monnaie, un Labrador noir, des vêtements épars et des sacs en plastique. Assise près du garçon il y a une jeune fille, cernée, cheveux bruns striés d'une mèche blonde. Ce pourrait être toi.

Vous fumez tranquillement, tous les trois, sans un mot.

Le moteur de la Matrix hoquette cinq coups avant de démarrer, exhalant le son de la libération. Delphine sera en retard, c'était prévisible après s'être imposé un programme aussi ambitieux, mais elle est en route, écrit-elle à Naïma avant d'enclencher la lecture de sa playlist *Party Night* à plein volume. Delphine fait jouer ses chansons de discothèque un peu trop souvent ces temps-ci. Le Tigre et Bikini Kill l'accompagnent sur le trajet de l'école, de l'épicerie, de la clinique sans rendez-vous pour une énième otite de Ludovic, et encore hier, en joggant pour se défouler après une dispute de couple. On dirait qu'elle cherche à ranimer le feu et l'ivresse raréfiés. *I don't care, I love it,* s'égosillent les voix jubilatoires d'Icona Pop quand elle rejoint l'autoroute la menant aux retrouvailles cent fois reportées avec sa vieille amie. Il faut oublier ce qu'elle n'a pas pu accomplir aujourd'hui, sa lassitude envers l'inertie de Simon, applaudi de toutes parts pour sa cuisine et ses jeux avec Ludovic, mais qui se fait prier pour la vaisselle et le ménage, ne remarque pas les chandails devenus trop petits, le papier hygiénique sur le point de manquer, la crasse accumulée qui fume sous les ronds de la cuisinière. Delphine aussi aimerait se contenter de « faire des efforts » pendant que quelqu'un d'autre s'occupe de l'essentiel. Elle serait partie la tête vide au lieu de ruminer jusqu'au pont en chantant le refrain de *Boss Ass Bitch*.

Elle te parle des crépuscules rougeoyants qu'on peut admirer de la rivière qui borde sa maison, de ses projets de peinture pour la chambre de son fils, du jaune peut-être, une teinte lumineuse. «Je t'inviterai», promet-elle. Depuis le souper de l'été dernier, tu avais presque oublié son magnétisme. Delphine est douée pour la vie. Elle te montre quelques photos de son garçon sur son téléphone:Ludovic barbouillé de sauce tomate, Ludovic jouant avec le chat. «Il est magnifique», dis-tu, et pendant qu'elle s'anime tu veilles à ce que tout soit parfait:le choix de la musique, la préparation de la soupe thaïlandaise, les napperons artisanaux, les coupes toujours remplies. Bien des gens ne se soucient pas de ce que dit leur interlocuteur; ils demandent à être écoutés. C'est une tâche plus exigeante qu'il n'y paraît. Tu penses:pourvu que la soupe ne soit pas trop épicée. Pourvu qu'elle veuille me revoir.

Dans le récit de Delphine, tout va vers le mieux. L'existence amène son lot d'épreuves, une opération majeure, la mort dévastatrice d'un ami cher, des démêlés avec la justice; on croit avoir touché le fond, mais on revient plus solide, confiante, forte d'une nouvelle lucidité.

Dans ton récit à toi, tout va vers le pire. Les difficultés ne t'apprennent pas la résilience, elles te brisent les jambes. Plus les années passent, plus le poids de l'expérience t'alourdit, et tu faiblis, courbée par le chagrin.

Tu lèves pourtant ta coupe en riant au souvenir de vos folies d'adolescence, lances des facéties, radicalement vivante, et rien n'est aussi vrai, aussi clair que ta joie.

Tu t'es blessé les mains et les cuisses en sautant du haut de la clôture grillagée qui sépare le trottoir du chemin de fer. L'ourlet de ta robe s'est accroché aux pointes et tu es restée suspendue quelques secondes, avec pour seul témoin l'enfilade de wagons qui circulait devant toi. Incapable de trouver le sommeil, tu as suivi le souvenir d'un été – celui de tes dix-neuf ans – où tu allais boire des bouteilles avec Delphine sur la voie ferrée. Vous aimiez ce lieu abandonné, un chaos de détritus repris par la nature ; les convois de marchandises à la fois beaux et terribles, promettant le voyage, portant la mort. Dans le concert de sons caverneux et d'aigus métalliques, tu te laissais aller à une sorte de transe, cherchant moins à retenir tes pensées qu'à accueillir leur désordre.

Du haut du viaduc, tu te perches pour voir la rue glisser, vertigineuse, sous l'éclairage jaune des lampadaires. Les paysages n'ont plus la même signification. Insensiblement, la nostalgie s'installe : chaque expérience est devenue la répétition d'une autre.

C'était tellement parfait hier

Banlieue, 2004

*On a d'abord coupé les arbres. Rasé tout ce qui se
dresse et résiste. On a dessouché la terre, comblé
les trous, semé les champs. Au centre du village,
une église, des commerces, une école. Le mont irrigue
de ses lacs les labours assoiffés, abreuvant moulins,
bêtes et familles, jusqu'au port où la grande ville
s'édifie, grondante de machines. Depuis ses abords
courent des chemins de métal qui charrient les vacanciers partis oublier les progrès du nouveau siècle.
Une guerre est déclarée. Des enfants voient le jour.
D'ambitieuses routes sont coulées dans l'asphalte,
compressées par des rouleaux de dix tonnes ; des
bungalows jaillissent des entrailles du pays en une
poussée synchrone, usines à familles cordées comme
des boîtes à souliers ; on scie l'espace en nombreuses
lignes, nomme les rues, érige des haies, aménage des
commerces entourés de larges aires de stationnement.
À présent, ce sont des villes. Quand on en sort,
on découvre les plaines autour, et les boulevards qui
mènent à la métropole.*

À l'origine il y a : une rue qui ressemble à toutes les autres, coincée entre des maisons de plain-pied où grandissent les enfants et les chiens ; les pelouses, un érable planté sur chacune d'elles, gardien des secrets. Au cul-de-sac, les bungalows laissent place à des immeubles sans identité, que l'on habite en attendant de trouver mieux. Leurs entrées anonymes donnent sur des escaliers à échos que l'on gravit sous l'œil des judas, jusqu'à l'appartement désigné : une suite de pièces communicantes où grésille la trame continue des émissions de télévision.

Fugue I

Alignés près du stop, vous fixez en silence un parterre de gazon fraîchement tondu, parsemé de pissenlits décapités. Coups d'œil vers le tournant, soupirs. L'autobus jaune se fait attendre. Lorsqu'il s'immobilise devant vous, sa porte s'ouvre dans un couinement de charnière mal huilée. Une hiérarchie tacite dicte la place de chacun à l'intérieur : les plus jeunes à l'avant, les plus vieux au fond. Tu t'assois sur l'avant-dernier banc à ta gauche, durement gagné après cinq années de secondaire. De là défilent, dans l'ordre, terre-pleins, chemin de fer, parcs à modules, travellings et plans fixes, jusqu'à ce que Delphine entre à son tour avec son inséparable planche à roulettes. Vous formez une drôle de société, enfoncées dans la cuirette brune, les deux genoux remontés contre la banquette d'en face, pôles positif et négatif d'une même source d'énergie. Elle est le son et toi l'image d'un film en tournage permanent, dans lequel tu es à la fois devant et derrière la caméra. Arrivent ton bully du primaire et le petit drôle avec sa casquette relevée sur le front, qui s'assoient derrière vous. Delphine se retourne, relève ses lunettes noires sur ses longs cheveux mouillés. Tu sens leur odeur artificielle d'agrumes descendre vers toi, qui ne bouges pas, recroquevillée dans les profondeurs du siège.

Déjà, la mythologie d'hier s'enclenche : vos pilules roses avalées sur les estrades du terrain de balle molle, ton savon à bulles dans la fontaine, le lift que t'a donné Bully sur sa bicyclette pour descendre la grosse pente (tu t'es assise sur le guidon, une main de chaque côté des fesses, les jambes légèrement écartées, son souffle chaud sur ta nuque), la cabane de Casquette dans le grand chêne. C'était tellement parfait, scandez-vous l'un après l'autre, la plus belle journée du monde, et tu ajoutes, « fuckin' magique ». Mais personne n'y prête attention. Delphine organise avec les gars une nouvelle escapade pendant les cours de l'après-midi, près du ruisseau caché.

Le soleil chauffe l'air et sa morsure pénètre vos vêtements, se répand par ondes dans l'épiderme. Il est bon
de fuir les murs qui emprisonnent, le gel forcé dans les
cœurs. Ça sent l'eau qui s'évapore sur le bitume, la terre
s'éveille, capiteuse. Vous vous glissez entre les voitures
du stationnement, nonchalantes, riant sous l'effet de
l'excitation. À l'orée du bois, tu t'arrêtes pour allumer
une cigarette. Le picotement du tabac te chatouille
l'œsophage. Delphine tend l'index et le majeur, porte
ta cigarette près de l'anneau chatoyant à sa lèvre. Au
son du carillon, vous vous détournez de la polyvalente
pour vous enfoncer dans le sentier.

Les deux garçons sont sur le pont enjambant le ruisseau, assis à même les planches. Ils aspirent une fumée laiteuse au goulot de bouteilles percées, la crachent d'un jet vers le haut comme si c'était du feu. La lumière, à peine tamisée par le feuillage naissant des arbres, pleut sur leurs têtes.

Quittant le sentier, Delphine et toi délacez vos souliers et roulez vos pantalons. La mousse est tiède sous tes pieds, l'eau si peu profonde que tu peux distinguer les galets qu'elle recouvre. Bully et Casquette ont les yeux vitreux : « On s'est popé une pill, y reste des plombs pis d'la peanut. » Delphine sort en triomphe de son sac les trois paires de lunettes fumées qu'elle a volées la veille. Tu te rappelles la dispute avec ta mère au déjeuner, un pincement à la poitrine et tu n'y penses plus.

Quand ta mère jette ses ciseaux sur tes mollets
– tu lui fais dos, tu ne la vois pas –
elle hurle et pleure, Tu ne te rends pas compte
de ce qu'on fait pour toi

Dans ta main tu fixes
le couteau maculé de beurre d'arachide
tu hésites un battement
le lances sur le plancher de céramique
Crisse de folle

Il faut baisser le ton maintenant
qu'est-ce que les voisins vont penser.

Les blagues de Casquette sont si efficaces qu'à force de rire, Delphine doit le supplier d'arrêter. Elle inhale son cinquième plomb à la bouteille. Les effets du haschich courent le long de ses nerfs : une impression de flottement qui la rend légère, légère. Elle se sent belle dans ses jeans. La tête appuyée sur sa veste roulée en boule, elle tend son écouteur gauche à Naïma et loge l'autre dans son oreille. La source les enveloppe de son bruissement alourdi par les neiges de l'hiver. Au-dessus d'elles, un saule mange le bleu, ses minuscules feuilles miroitent lorsque le vent les agite, vert-de-gris, argentées. Delphine relève sa camisole pour découvrir son ventre. Elle ne le dira pas, mais elle espère qu'elle va bronzer.

Bientôt Delphine se fatigue des bavardages immobiles, elle a besoin d'agir, de se frotter à un nouveau risque. Vite, il reste une heure avant le carillon. Vous sortez de l'autre côté du sous-bois, rejoignez la rue principale. Delphine vous devance sur sa planche à roulettes. Elle n'a qu'une idée en tête : monopoliser le skatepark avant que les écoliers débarquent. Bully et Casquette se mordent les doigts d'avoir laissé leur planche chez eux ; jamais, jamais on ne devrait sortir sans, prêche Delphine, heureuse de leur montrer qu'ils sont des amateurs.

Elle voudrait que cet après-midi volé au sérieux de la réalité dure éternellement ; que disparaissent les responsabilités familiales auxquelles il faut invariablement revenir. Elle pourrait rouler indéfiniment loin de son père, qui boit tous les soirs, et de son petit frère, qui passe sa vie à tuer des personnages sur sa Nintendo. Delphine préfère encore se péter les genoux en ratant un trick plutôt que de subir leur inconscience. Des croûtes de sang et des ecchymoses se renouvellent de semaine en semaine sur sa peau : sa bravade, sa fierté.

Vous la regardez glisser sur les rails, les blocs, les pyramides; sauter, tomber sur ses tibias, ses mains. Elle jure, jette sa planche dans des explosions de colère, se relève, reprend l'objet adoré-maudit, s'entête sur ses chevilles précaires. Tu la suis avec ton appareil photo jetable, te couches sur la piste, l'œil dans le viseur. Du haut du half-pipe, le pied droit sur la planche relevée dans le vide, elle retient son souffle; tu appuies sur le déclic. D'un coup de bascule, elle plonge dans la courbe qu'elle remonte avec le même aplomb. La vitesse l'enivre. Chaque cascade exige la plus totale concentration, un calibrage d'instinct, de confiance et d'adresse. Et lorsqu'elle goûte à la bénédiction de l'atterrissage réussi, il lui semble qu'elle ne vivrait que pour cette démesure.

La cloche a sonné l'heure de rentrer en catimini. En partant, les deux garçons se retournent (tu surprends leur regard sur les épaules dénudées de ton amie, qui a le dos tourné). Delphine et toi faites un détour pour éviter le circuit de l'autobus jaune, partageant un vaporisateur pour l'haleine, un désinfectant à mains, des gouttes oculaires et une eau de toilette à la vanille afin de tromper le contrôle parental. C'était trop court, vous lamentez-vous; il en faudrait plus, toujours plus. Vous vous emballez à l'idée de faire un feu vendredi au bord de la rivière, sur une plage secrète où vous n'êtes jamais allées. Tu pourrais inviter ton collègue du club vidéo, il connaît le chemin, insinue Delphine en t'envoyant un clin d'œil. Tu ricanes, embarrassée, t'imagines l'aborder près de la machine à pop-corn, lui, l'artiste beau et brillant qui étudie en ville. Sa vie sociale doit être plus palpitante que vos évasions de filles du secondaire. Vous élaborez une stratégie. Delphine te rendra visite quand tu travailleras avec lui, et vous ferez semblant de l'inclure à la dernière minute dans vos plans. «Comme ça, on a l'air de lui faire une faveur. Il va venir, promet Delphine, je te dis!»

Tu aimes l'odeur de chien mouillé, un peu rance, qui t'assaille en entrant chez Delphine, le désordre des souliers jetés négligemment sur le tapis, les biscuits que vous mangez sur le comptoir même si c'est bientôt l'heure du souper, les cigarettes que ses parents fument avec culpabilité – ils parlent constamment d'arrêter, mais le plaisir l'emporte toujours. Couchées à plat ventre sur son lit, Delphine et toi écoutez ses dernières découvertes musicales en bâclant vos devoirs de mathématiques. Au milieu d'une équation insoluble, Delphine ouvre la porte et jappe à son frère : « Baisse le son, on n'en peut plus d'entendre ta mitrailleuse ! » Puis vient le repas, la bouteille de vin partagée et, quand le petit frère regagne la permission de retourner au massacre virtuel, les grandes conversations sur le cégep qui commencera cet automne, « vous verrez, disent les parents de Delphine, ce seront vos plus belles années ». Tout chez eux te plaît : leur collection de vinyles d'une autre ère, le goût sûr et sans prétention du mobilier, leur façon de lever le ton en parlant de politique, leur culture prolixe en films de série B et leur mauvaise réputation au club vidéo où tu travailles (ils ne rembobinent jamais leurs cassettes). C'est pour cette raison que tu n'invites pas ton amie chez toi : le quatre et demie de ta mère est triste, trop bien rangé, on n'y déplace rien sans permission, alors que la maison de Delphine respire la générosité, et tu t'y réfugies sans jamais t'y sentir encombrante.

Tu reviens à la brunante dans ta chambre remplie de dessins et d'animaux en peluche. Les étoiles fluorescentes collées au plafond luisent à mesure que la noirceur s'installe. Tu t'endors d'un bloc. Dans ton rêve, ta mère rentre du centre d'appels où elle travaille et entrouvre la porte pour te surveiller. Les ciseaux volent, une lame s'enfonce dans le mur au-dessus de ton lit. Tu te réveilles. Entends ses pas qui traînent sur le parquet, lourds de fatigue.

Quand vous avez emménagé ici, elle a pleuré. Les boîtes s'entassaient jusqu'au plafond en rangées compactes, couvraient les meubles, les comptoirs, ne laissant que de minces tranchées où il vous fallait faire des contorsions pour accéder aux pièces. Tu as voulu la consoler en ouvrant tes cartons, Je n'ai pas besoin de ce livre, de ma poupée, de ces vêtements, seulement de mes crayons et de mes cahiers à dessin. Mais la peine de ta mère excédait les possessions, elle s'attachait à l'étroitesse d'une vie en entonnoir dont les promesses s'étaient rétrécies peu à peu, pour la coincer dans cette cuisine mal éclairée au bout d'un cul-de-sac.

Ton père, lui, avait gardé la maison héritée de sa famille. Elle était grande et propre, cachée par une haie de cèdres, et la violence y éclatait sans prévenir. Il y avait emmené ta mère en lui promettant l'avenir avant de constater sa méprise : cette femme d'ailleurs qu'il avait crue docile résistait à ses efforts de contrôle ; elle était indomptable, rebelle. Elle répondait quand il l'insultait. Criait s'il la frappait. Elle méritait la rue.

N'arrivant pas à te rendormir, tu marches jusqu'aux pylônes du champ qui borde ton pâté de maisons. Ils n'en finissent plus de grandir, alors que tu approches, géants portant le firmament à bout de bras; ils crépitent, chargés de tension. Tu t'étends dans les foins. Les astres flamboient comme si rien ici n'avait d'importance:ni les maisons ni les êtres à l'intérieur, qui s'épient entre les lattes des stores. Tu allumes une cigarette dont la braise rougeoie dans l'obscurité. Ce sont les meilleures:clandestines, tranquilles; ininterrompues par l'agitation de la multitude.

Fugue II

La procédure est simple. Tu attends l'extinction des bruits – quand la télévision cesse de vendre des produits congelés et que ta mère, vaincue, sombre dans le sommeil sans rêves de ses anxiolytiques – pour te faufiler dans le corridor qui te sépare de la porte. Tu connais les lattes sur lesquelles poser le pied, la pression exacte qu'elles peuvent supporter avant d'émettre un craquement. Ton sac à dos rouge contient déjà le nécessaire : bouteille d'eau, tricot de laine, briquet, haschich en roches, gommes à la menthe, barres nutritives morcelées dans leur enveloppe. La porte tourne sans bruit sur ses gonds. Sur ton vélo, tu dévales la ville morte, imaginant ce que sentent les grands oiseaux quand ils fendent l'air et se laissent planer. Passé le quartier des noms de fleurs et le long terrain vague, tu aboutis à la fenêtre de Delphine, qui monte la garde, prête à réinventer la nuit.

Vous êtes cinq dans le boisé près de la rivière : Casquette, Bully, l'artiste avec qui tu travailles au club vidéo (il te parle avec détachement, comme s'il n'était pas concerné par ses propres mots) ; c'est sur Delphine que les regards convergent, corps flottant dans un coton ouaté déchiré à l'encolure. Chacun prend une bouffée et la retient dans sa poitrine jusqu'à ce que le joint ait fait un tour complet ; alors seulement, vous pouvez relâcher la fumée.

Après que Bully a écrasé le mégot contre les cailloux, vous restez en cercle, entourés des bandes noires et maigres des bouleaux. Tu essaies de suivre la conversation, mais tu n'arrives pas à comprendre le lien entre les répliques. Elles surgissent, gratuites, isolées les unes des autres. Dans la pâleur de la lune, le visage de Delphine semble fait en cire. Le groupe descend vers la rive, discutant deux par deux, toi derrière. Tu te concentres sur tes pas. Tu surveilles toujours le sol dans les environnements hostiles.

Ils ont enflammé un amas de branches et de billots sur une étendue de sable fin que tes mains caressent, retiennent, laissent glisser entre leurs doigts en de doux filets envoûtants. Le feu chauffe tes tibias et se diffuse dans ta chair, bienfaisant, en même temps que le buvard sous ta langue.

L'artiste n'aime pas la compétition ; après s'être démené pour impressionner Delphine, il a engagé la conversation avec toi. La pulsation de ton cœur s'accélère : il te parle d'un réalisateur que tu ne connais pas, avec des termes que tu n'as jamais entendus. Tu jettes des coups d'œil nerveux à ses grandes mains fines, à son veston côtelé dont se détachent des fils désinvoltes. «Oui, c'est vrai. Intéressant», bafouilles-tu, de plus en plus stupide. «Regarde-moi, finit-il par te lancer. Quelle beauté tes yeux, il y a des soleils dans tes iris.» Puis il te compare à une actrice latino-américaine avec qui tu n'as aucune ressemblance. Tu examines Delphine. D'un côté, Bully lui allume une clope ; de l'autre, Casquette débouche sa bière, l'air mauvais.

Ton compagnon t'attire à lui sur la berge où il s'est couché pour te montrer les constellations. L'ombre a avalé la moitié de son visage. Tu réponds à ses lèvres, à ses mains brusques et maladroites comme à un ordre. Derrière lui, la rivière coule dans un grondement de bête farouche.

Imperceptiblement tu t'élèves, loin de toi, loin d'eux. De ta position en surplomb, vos cinq silhouettes ne forment plus que des accidents difficiles à distinguer le long de l'eau. Cinq êtres fragiles, désirants, coupables et innocents; quand bien même pourrais-tu lire en eux, il te serait impossible de te les représenter tous à la fois, dans leurs urgences, leurs élans, leurs déceptions. Vue d'en haut, tu n'es qu'une conscience prisonnière de ses soucis, négociant sa rencontre avec d'autres inquiétudes.

Les grains de sable minuscules s'infiltrent dans les replis de ta chemise, collent à ta peau, se greffent à tes cheveux jusqu'à la racine. Ils crissent entre tes dents alors que s'enfonce ta tête sous la pression de la sienne, pourquoi ce sable qui te plaisait est-il devenu aussi intolérable; tu te souviens que c'est une composante essentielle dans la fabrication du ciment, ce matériau inventé par les hommes pour contrôler la nature, tandis qu'il t'écrase en te tirant les cheveux. Tu es dans sa chambre à présent, le sable a envahi les draps, des kilos et des kilos de matière durcie qui t'immobilisent. Ses mains t'ont coulée dans le béton. Ce désir ne vient pas de toi; tu n'en es que le reflet, l'affolement.

Le plafonnier de la salle de bain jette un éclairage cru sur tes cuisses. Le miroir te renvoie ton image, assise sur la cuvette:les plaques d'urticaire qui recouvrent ta gorge, tes jambes immenses ouvertes sur ton sexe sombre. Des voix percent en haut de l'escalier. Le ressort d'un grille-pain, un expresso qu'on fait couler. Les marches mènent directement à la cuisine:il faudra dire bonjour, te présenter.

Ses parents t'accueillent d'un sourire bienveillant. Sa mère mange un muesli dans du kéfir; son père, des lunettes au bout du nez, lit le journal.

« Comment tu t'appelles?

— Naïma.

— Mange, si tu as faim. »

Tu engloutis une tranche de pain aux bananes sous leurs questions curieuses.

« Tes parents savent que tu es ici? »

Tu hoches la tête, peu convaincante, penses à ta mère malade d'angoisse, à sa peine sans contours depuis que ton père l'a quittée. Il ne faut pas t'attarder.

Pendant que tu enfiles tes espadrilles, la mère de l'artiste fixe ton pied nu dont tu as perdu le bas. En la saluant, tu crois lire de la pitié dans ses yeux.

Tu vas devoir lui dire la vérité. Où étais-tu? Elle s'est inquiétée pour toi, tu n'as pas idée. Regarde-la dans les yeux quand elle te parle. As-tu pris de la drogue? On croirait à peine que cette enfant est sortie de son corps, tant elle lui interdit l'accès à ses pensées. Elle n'en peut plus de tes cachotteries. Tout ce qu'elle demande, c'est un peu de confiance. Elle t'aime. Elle voudrait que tu lui rendes cet amour, que vous entreteniez une relation digne de ce nom, comme les autres mères avec leurs filles. Mais tu n'en fais qu'à ta tête. Ces pantalons effilochés qui traînent par terre; on te dirait pauvre. Est-ce vraiment ce que tu veux? Étudier en arts alors que tu aurais tout pour être admise dans des programmes sûrs, qui te garantiraient une carrière... Elle sait ce que c'est d'en arracher, crois-la. C'est ton problème si tu refuses de l'écouter.

Couchée dans ton lit, tu dresses des listes de résolutions :

je ne lèverai plus la main en classe
je rirai sans montrer mes dents
je ne dirai que l'essentiel
je verrai tout, sans être vue.

Quatre cent soixante-deux nuits sans sommeil

Quartier des anarchistes, 2008

Vous avez pris les clés du six et demie sans vous douter que les belles moulures et les boiseries d'origine masquaient un délabrement avancé. Des colonies de champignons poussent par endroits, les tuiles autocollantes se détachent dans la cuisine, il est pratiquement impossible d'ouvrir les fenêtres aux montants de bois gonflés par l'humidité. À travers les plafonds, vous entendez la voisine rudoyer son enfant («vas-tu le mettre, ton manteau?»), interrompue par les aboiements de son ivrogne de mari, c'est un dilemme continuel, s'il faut appeler la maudite police ou intervenir par vous-mêmes, sauver fille et mère. Quand le quartier s'assoupit, des crackheads hurlent à la lune en déambulant dans la ruelle, et vous leur répondez, toi et Delphine, en leur offrant des clopes. Vous vous sentez chez vous dans cet écosystème, filles terribles de la banlieue fuyant le cauchemar des maisons.

Dans votre havre, on peut écrire sur les murs, jeter la cendre de ses cigarettes dans l'évier, boire une caisse de vingt-quatre dans un nuage de fumée persistant, organiser des actions, des karaokés, des cuisines collectives et des cinémas maison. D'une session à l'autre, les colocataires se succèdent dans la troisième chambre, la plus petite et la plus bruyante, élargissent le cercle pour repartir après quelques mois. Des liens se sont tissés avec les punks du rez-de-chaussée, qui font toujours la fête, et une dizaine d'appartements alliés constellant les environs, toile invisible par laquelle les militants du quartier s'entraident, célèbrent, se croisent dans les parcs et les restaurants à déjeuner au lendemain d'ivresses.

Chaque matin, c'est la même histoire. Tu te réveilles avant l'aube, gardes obstinément les yeux fermés pendant que le jour, implacable, grandit dans la chambre. Tu attends que le sommeil revienne, une heure, deux heures ; tu vogues, couchée au milieu du boulevard vrombissant derrière la fenêtre fermée. Tu te projettes dans une autre vibration, étendue sur le littoral : la marée te recouvre puis t'expose à la volupté du soleil, avant de glisser sur toi à nouveau. Tu inspires avec les vagues ; ton souffle est un ressac. Ton corps décomposé en parties qui respirent – c'est pourtant si simple, respirer. Il suffit d'écouter Ariane dormir sur l'oreiller voisin, Ariane qui a vingt ans dans la paix, Ariane qui s'oublie, bienheureuse, dans le repos qui lui redonne la vie. Tu te rends à l'évidence : tu sors des draps.

Sur la table de la cuisine traînent des bouteilles de bière aux fonds saturés de mégots, vestiges d'une réunion organisée la veille par Simon et Delphine. Les rires ont résonné jusqu'aux petites heures, ponctués de pas lourds et de portes claquées. Tu mastiques ta toast debout devant la fenêtre, où le printemps fait tomber ses dernières neiges hésitantes. Un flocon zigzague dans l'air, se volatilise avant de se déposer sur l'asphalte, comme s'il n'avait jamais tout à fait existé.

Devant le miroir de la salle de bain, tu étudies ton reflet par-delà les éclaboussures de salive et de dentifrice. À force de rester éveillée trop longtemps, on doit vieillir plus vite. Mais rien ne te marque, ni cernes ni rides. Tu pleures en te brossant les dents.

De sa chambre mitoyenne, Delphine entend tout. Le robinet qui grince, l'eau qui gargouille dans les conduits, un brossage de dents suivi d'un crachat ; tout, absolument tout, et Delphine a tant accumulé de bière dans sa vessie que ces sons s'apparentent à un supplice. Il y aurait moyen de se négocier une place sur la cuvette pendant que Naïma s'affaire au-dessus du lavabo, elles l'ont fait mille fois, mais cela exigerait un effort, enfiler un coton ouaté, cogner à la porte, parler à travers la brume de malt qui lui obscurcit le cerveau. Mieux vaut se rendormir contre Simon, cette bouillotte humaine, mais l'eau qui circule dans les tuyaux l'obsède, Delphine n'arrive plus à écarter la pensée de sa délivrance, et quand approche le seuil de la décision critique, une autre eau se fait entendre, une eau noire de fatigue, et Delphine comprend, dès le premier sanglot, qu'elle ne sortira pas de la chambre avant que Naïma en ait terminé avec sa tristesse. Elle se blottit contre son amoureux, la tête sous l'oreiller pour laisser un peu d'intimité à ces pleurs, comme elle voudrait qu'on traite les siens : avec discrétion, en évitant les simagrées consolatrices. Delphine voudrait parfois prendre son amie par les épaules, la secouer et lui dire l'impossible : Ressaisis-toi, sors de cette interminable léthargie, redeviens l'amie brillante avec qui j'ai grandi. Personne ne dort bien depuis que la grève est commencée, mais l'action nous aide à sortir de nous-mêmes. Enfin, certaines personnes dorment mieux que d'autres : Simon, la bouche ouverte, émet des ronflements aussi retentissants que réguliers. Delphine le pousse ; il sursaute, se tourne sur le côté, reprenant aussitôt son bruit de moteur. Dans le corridor, Naïma ramasse ses effets – un sac, des clés, un manteau, une dernière larme – et part travailler. Delphine ne se rendormira pas. Elle ira lever les cours avec Ariane avant de préparer l'assemblée générale de sciences humaines prévue pour l'après-midi.

La nuit où vos amours se sont scellées, vous dansiez au sous-sol des punks : new wave, piliers de ciment, corps lustrés par la moiteur de juillet ; de temps à autre une silhouette se détachait de l'ombre pour te souhaiter bonne fête, vingt ans, oui, vingt ans aujourd'hui. Était-ce cela, la liberté ? t'es-tu demandé en voyant Delphine sautiller sur le tempo de la caisse claire, les cheveux voltigeant dans l'espace. Tu détaillais le visage d'Ariane dans les accidents de lumière, sa mâchoire carrée, ses paupières tombantes sur des yeux écartés ; une beauté insolite, qui résistait à l'analyse. Était-ce cela, le désir ? Tu n'aurais voulu rester qu'auprès d'elle, bouger dans l'ondulation de ses gestes, les mains en volutes au-dessus de ta tête. Vous êtes sorties dans la cour bondée de chiens et de fumeurs, échangeant des paroles exaltées dans une intense communion. Sa peau était douce. Vos joues l'une contre l'autre, cette odeur mixte de sueur et de lessive, imprégnée dans les vêtements. Ton cœur battait si fort que tu as craint d'en mourir.

Enfin, songeait Ariane, cela m'arrive. Ses boucles enroulées sur mes doigts, son flanc qui palpite sous ma main, je l'ai su dès que je suis entrée ici – Delphine me guidait sur les planchers de pin rouge, elle m'avait dit, «c'est un vieux bâtiment, tout craque, les radiateurs à eau chaude s'expriment, tu verras on y prend goût» –, je l'ai su, oui, qu'en plus de la chambre, bruyante comme une autoroute, j'aurais pris la colocataire aussi. C'était un risque et je le cours, je m'y jette, je n'ai pas peur, il suffit de prendre ta main, Naïma, viens, je n'ai pas peur, tournoyons dans l'escalier brinquebalant qui mène au deuxième, là où la fête se clairsème. Sur le balcon, chacun veut encore un morceau de toi, je le vois maintenant, ce que tu fais aux autres, c'est ta façon de composer des images avec ce qui t'entoure, tu parles une langue à part dans ta tête. Je voudrais connaître cette langue, rêver dans cette langue, écrire dans l'odeur d'acrylique de cette langue.

Love will tear us apart, chantait la voix de Ian Curtis sous les plafonds bas, et Delphine, galvanisée, se jetait énergiquement dans l'air en tentant de se rapprocher du nouveau punk du rez-de-chaussée, Simon, un grand blagueur qui se balançait d'un pied à l'autre avec une maladresse attendrissante. Elle a croisé son regard, l'a soutenu, lui adressant un mouvement comique auquel il a répondu par un sourire, sans plus, avant de continuer sa petite affaire, c'était très décourageant, et si rien ne se passait ce soir dans cette bacchanale avec la pleine lune en sus, ça ne se passerait jamais, Delphine en avait l'intime certitude. Son instinct de chasseuse l'avait rarement trompée. Elle s'est retournée vers ses

colocataires. Ariane et Naïma montaient l'escalier intérieur dans le faisceau d'une ampoule rouge. Revenant
aux punks, les yeux de Delphine ont surpris ceux de
Simon, qui se sont déplacés au-dessus d'elle, simulant
un accident de parcours. Elle a compris. Le *fade out* de
la chanson s'éternisait, batterie guitare synthé étouffés
dans l'attente d'une piste qui ne venait pas, et Delphine
a su ce qu'il lui restait à faire. Elle lui quêterait une cigarette. Il sortirait avec elle.

Tu te présentes à la boulangerie où se pavanent de jeunes parents et des baby-boomers, avides de pain à l'épeautre et de kouign-amann. Tu souris aux collègues, aux clients, prétendant appartenir au clan avec ton béret volé au Renaissance. Tes mains tranchent du pain, comptent la monnaie, font mousser le lait. Tu ignores combien de temps encore tu tiendras debout. Combien de temps on peut continuer comme ça, ni tout à fait morte ni tout à fait en vie.

À la fin des dix séances de thérapie allouées par l'université, la doctorante en psychologie avait rendu son verdict. Dépression. Depuis plus d'un an tu luttais contre cette éventualité. Ta mère l'avait reconnue dès les premiers symptômes et tu n'avais pas voulu l'entendre, pas voulu y croire, te persuadant à chaque séance de natation, de méditation et d'acupuncture que tu t'en sortirais. Ta mère, obstinée, te pressait d'avoir recours à la pharmacopée qu'on prescrit aux gens comme vous. Devant ton refus, la doctorante t'avait expliqué que la dépression pouvait s'avérer une maladie mortelle. Si tu étais diabétique, refuserais-tu de prendre de l'insuline? À ton retour à l'appartement,

Ariane t'avait renvoyé le plaidoyer contraire. Tu souffrais d'un mal politique, et il fallait refuser l'étiquette de la maladie mentale, l'injonction de performance, les drogues inventées par le capitalisme pour nous faire rentrer dans le rang. C'était le travail qui te tuait; dans la création tu trouverais un exutoire à la détresse, une révolte, une réparation. Tu as dit OK. Entre l'amour de ta mère et celui de ta blonde, le choix n'était pas difficile.

Mais l'amour de ta blonde ne peut rien contre le froid qui assaille ton corps affaibli dès que la porte de la boulangerie s'ouvre, contre tes migraines terrassantes et le mécontentement de la cliente qui a demandé du lait d'amande et non de vache: c'est très sérieux, et si tu continues à être dans la lune, qui sait combien de diarrhées tu pourrais causer aux intestins délicats auxquels tu as affaire?

Désolée, madame, voudrais-tu répondre, vous êtes tombée sur une machine hors service. Désolée, Ariane, je n'arrive pas à faire la révolution. Désolée, avenir, je ne finirai pas mon bac en arts visuels. Mais je ne m'excuserai pas, chers patrons, d'être une mauvaise employée, et d'emporter le pain à jeter pour le donner aux anarchistes du bas de la côte.

Peu à peu, l'esprit de communauté du six et demie se désagrège:deux clans se sont formés, bien campés dans leurs retranchements.

Delphine et Simon occupent la chambre donnant sur la cuisine, et souvent la cuisine elle-même – quand leurs invités ne débordent pas dans le salon. Ils s'aiment dans un enivrement flamboyant et excessif, une célébration perpétuelle; sortent jusqu'à l'aube dans les bars, reviennent en s'engueulant et se réconcilient en baisant. Simon clame sur tous les toits que l'université est un système classiste et le salariat, une collaboration au capital, préférant vivre d'aide sociale et de travaux manuels non déclarés. En théorie, il squatte l'appartement des punks d'en bas, mais en pratique, il dort dans le lit de Delphine, sans cotiser au loyer. Il n'est pas rare que dans la journée, Naïma le trouve seul à l'appartement, roulant un joint, écoutant des disques qu'il laisse tomber entre les haut-parleurs sans s'en apercevoir, errant sur internet ou, dans ses bons jours, cuisinant des mijotés de légumes récupérés dans les conteneurs de la fruiterie. Il faut ensuite laver sa vaisselle, rabattre la lunette de la toilette et retourner ses bouteilles au dépanneur. Delphine paie tout, se brûle à militer, à travailler et à se paqueter la gueule, bâcle ses lectures. Elle se sent emportée par quelque chose de plus vaste, de plus primordial que sa vie d'avant, platement individuelle, médite auprès de Simon le projet d'un destin sans chaînes sur des routes bosselées et des fermes autosuffisantes où l'on donne sans compter. La passion rend Delphine aveugle, mais Ariane et Naïma fomentent des plans de vengeance contre l'invasion patriarcale, ce cheval de Troie nommé amour qui s'est incrusté dans leur foyer sans avertissement.

Naïma et Ariane composent une union d'une autre sorte, une bulle, une tanière, que Simon et Delphine jugent trop sérieuse, obsédées qu'elles sont par les études et les grandes discussions. Ariane préfère la lecture à ce qu'elle appelle «l'idéologie de la brosse», conception selon laquelle boire en communauté, c'est un peu faire la révolution – quoiqu'elle s'autorise à mettre quelques clés de cocaïne au service d'un travail sur Marx. Elle peut rester des heures à lire dans l'immense pièce qui sert d'atelier pendant que Naïma trace des esquisses, mélange des couleurs, étale des fonds et superpose des couches, fumant clope sur clope. Ariane ne se fatigue pas d'assimiler de nouvelles idées qu'elle formule de manière limpide et éloquente, si bien que Naïma se passionne à son tour pour ces vieux barbus qu'elle ne lirait pas par elle-même. D'autres jours, elles balancent leurs obligations par la fenêtre et passent la journée au lit, siestant entre les films, la soupe et le pop-corn. Même enclavée dans la chambre, leur affection irradie dans le six et demie. Une frontière invisible les enveloppe, décourageant les communications. Entraînée dans une spirale de soin, Ariane s'emmure avec Naïma dans sa maladie. Comment peut-elle la choisir? se demandent Delphine et Simon, de la chambre voisine, excédés par une détresse qu'ils ne comprennent pas. Mais l'amour d'Ariane, comme ses convictions, ne se laisse pas décourager par les obstacles. Il les affronte, tête baissée.

Une trentaine de minutes séparent la boulangerie de l'université, où s'est tenu cet après-midi un vote de grève dans les associations d'arts et de sciences humaines, vote que tu as manqué pour récurer des plaques graisseuses dans la cuisine fleurant le clafoutis. Tu ne sais plus si tu aurais eu l'énergie de t'entasser avec les autres pour assister à la succession des amendements, sous-amendements, considérants, motions, points d'ordre, alternés de soupirs et de colère contenue. Pourtant, tu aimes peser chacun des arguments, étudier les visages alertes de ceux qui se présentent aux micros, leurs vestes trouées aux manches, leurs foulards dénoués autour du cou. Tu as souvent voulu, toi aussi, revendiquer la parole, tes phrases toutes prêtes au bord des lèvres, te lever pour attendre ton tour derrière la file des discoureuses, mais la seule idée de t'exposer aux jugements te paralysait; tu t'étais habituée à observer sans rien dire et ta voix, livrée au tribunal, n'aurait pas pu porter sans se rompre.

À présent, tu marches sous un ciel voilé dont la blancheur t'aveugle. Tu penses à la couleur qui t'a quittée, au mystère des objets, que tu ne sais plus lire. Ton professeur avait raison. Il déambulait entre vos sculptures, prophète départageant le génie de la médiocrité, instituant celles qui lui plaisaient assez pour le suivre dans les nuées du deuxième art, être présentées aux commissaires influents, jouissant du privilège de sa recommandation, et toi aussi, quand tu l'écoutais définir la matière, le geste, tu aurais voulu être remarquée par lui, même si toi, tu n'existais pas, ni dans la société ni dans sa classe, car pour commencer tu n'étais pas sculptrice : c'est ce qu'il avait laissé entendre lors des évaluations de groupe. Ton travail était trop orienté, trop idéologique ; tu privilégiais le message au détriment de la forme, alors que l'art n'a rien de prescriptif, il évoque. Tes collègues en avaient rajouté : des serviettes hygiéniques comme matériau, c'est cliché ; les coudre ensemble, alors là. Ça manquait d'efforts, de technique. Ils avaient raison. Tu ne pouvais plus créer avec ta tête remplie de sel. Ton cœur asséché. Trop militante pour les artistes, trop artiste pour les militants. Au fond, tu n'avais rien à dire qui n'ait déjà été pensé avec une invention cent fois plus éblouissante. Ta sculpture échouerait dans un dépotoir avec les productions de l'Occident, et tu retournerais à ton destin de fille ordinaire, fumant sur un banc du parc La Fontaine devant un étang de rocaille, les doigts gercés par le savon à vaisselle. Telle était ta véritable place.

Tu pourrais rester indéfiniment sur ce banc à observer les volées d'oiseaux d'un point à l'autre, picotant les hauteurs, de l'érable au peuplier, du peuplier au toit, du toit à l'érable ; sans tirer parti de leur présence, à ces oiseaux, ni les photographier, ni les dessiner, ni extraire quoi que ce soit de cette faveur qui t'est donnée sans but. Voir sans retenir. Accepter le rôle de témoin. Ne plus chercher à apparaître. On peut dériver longtemps ainsi, sans mémoire.

Est-ce cela, devenir adulte? Perdre la beauté? Que fera-t-on de toi si tu ne sens plus rien, si tu n'es rien?

Sans parler, Ariane roule une cigarette sur le sofa de l'association de sciences humaines. Le faux cuir du meuble, égratigné par les centaines de culs qui y ont transité, les clés attachées à la taille par un mousqueton, laisse par endroits échapper des filaments de bourrure blanche. Autour, on commente le vote qui était serré et la proposition de reconduire la grève jusqu'à ce que la direction capitule, en s'arrachant les dernières pointes de pizza commandées pour l'événement. Deux camps se sont affrontés: les purs et durs prêts à lutter jusqu'au bout pour la gratuité scolaire, et les étudiants de psycho qui s'inquiétaient de leurs cours manqués au bénéfice de la collectivité. À l'autre extrémité du local, Delphine, au téléphone avec Simon, demande où tout ce beau monde va boire la défaite. Ariane humecte la bande collante du papier à rouler et la replie d'un geste sûr. Une autre grève perdue, il faudra s'y habituer puisque tous les jours on la perd, la bataille, face à une société dominée par l'argent, où il faut travailler pour vivre et rester pauvre quand même. Ariane coince sa rouleuse entre ses lèvres et cherche sa vieille canadienne parmi les manteaux jetés sur le sofa. Où est passée sa mitaine, encore? C'est le triangle des Bermudes, ici.

Sur la passerelle extérieure, elle rejoint d'autres membres de l'exécutif, nimbés d'une fumée froide. Leurs visages sont délavés par la fin de l'hiver, mais ils trouvent le moyen d'échanger quelques blagues. Au début, ces grands maigres l'intimidaient. Maintenant, elle leur cloue le bec quand elle le veut, en quelques arguments bien placés.

L'université est vaste mais elle t'enserre, tunnels de béton où durcissent de vieilles gommes à mâcher. Deux ans déjà que tu montes vers les ateliers amples et clairs du département des arts, à la hauteur des clochers, alors qu'Ariane et Delphine s'enfoncent dans les amphithéâtres de sociologie creusés au sous-sol; et c'est toi qui tombes. Te voilà au bout de quatre cent soixante-deux nuits trouées, fantôme qui résiste à l'anéantissement. Tes pas résonnent dans l'agora vide, et les vitraux te rappellent que tu traverses une ancienne église. Qu'est-ce qui différencie les étudiants d'aujourd'hui des anciens fidèles, si comme eux ils se rendent ici pour écouter des maîtres parler, et leur redonner ce que ces maîtres veulent entendre? Tu es en train de perdre la foi, Naïma.

Mais dans le local associatif, Ariane t'attend avec de l'espoir pour deux. Vous irez, vous aussi, trinquer avec les autres à la fin de la grève, boire ce qu'il reste de liberté avant de retourner courber l'échine sur vos notes de cours. Pas moi, penses-tu, et cette idée te délivre.

Annuler les cours. Annuler
la fête d'amis
le souper de famille
la manif
le yoga
le médecin
fermer la porte
jeter les fusains.

S'annuler.

Vous vous retrouvez souvent dans ce bar saturé de voix : c'est l'un des seuls endroits près de l'université où l'on peut boire sans se ruiner. Les tables et les planchers collent, il y règne en permanence une odeur de levure, les portes des toilettes sont couvertes d'inscriptions. Quant aux habitués, de vieux punks qui ont perdu leur lustre, ils entonnent des refrains tonitruants autour du bar, signes d'un lieu où l'on sera toujours bienvenu, peu importe sa dégaine et son casier judiciaire. Réuni autour de quatre tables mises bout à bout, le groupe vous accueille, Ariane et toi, parmi les pichets bien entamés. Vous déménagez des chaises près de vos colocataires, qui font le décompte des épisodes les plus impayables de la grève.

Il y a les militants encagoulés qui ont encerclé le recteur dans un corridor ; ceux qui se sont barricadés pour un *bed-in* au café étudiant jusqu'à ce que la sécurité force les portes (Delphine est sortie en pyjama dans la neige, la gloire !) ; le spectacle-bénéfice organisé à la blague pour « sauver l'université » de la faillite ; les huit amazones flambant nues qui ont perturbé le conseil d'administration pour voler le plan de redressement.

C'était fou, complètement fou. Et dur, conviennent d'autres. Une fraction d'irréductibles a écopé du sale boulot de bloquer les cours, se faisant tabasser pendant les occups et poursuivre en justice par l'administration. L'étudiant lambda, lui, votait pour la grève et retournait faire la sieste. On se rassure, tous ces efforts n'ont pas été vains : la prochaine fois qu'une firme de comptables voudra sabrer dans les programmes pour renflouer ses investissements dans un projet immobilier croulant, ils sauront à quoi s'attendre.

Simon, lui, ne peut s'empêcher de pontifier : les mobilisations étudiantes s'éloignent du véritable problème ; il faut s'allier aux pauvres, les vrais, ceux qui vivent dans leur quartier, au lieu de s'en tenir aux intérêts de son groupe social. Bien sûr, rétorque Ariane, se soûler tous les soirs avec ses amis et voler de la bière au dépanneur, rien de plus utile pour la lutte des classes. C'est immanquable, dès que ces deux-là prennent une once d'alcool, ils débattent jusqu'au lever du jour.

Tu te tournes vers Delphine : « Je lâche la sociologie, t'annonce-t-elle, on pense aller planter des arbres cet été, avec Simon. » Elle parle au *on,* comme s'ils s'étaient fusionnés, « après, on prendrait l'année off avec Jeunes volontaires pour tourner un documentaire sur les évictions ». C'est donc vrai que Simon est là pour rester – comme Ariane dans ton lit, s'il faut être juste. Quelque chose entre Delphine et toi s'est rompu dans ce double appariement. Chacune a perdu sa sœur. Curieusement, vos destins continuent de se ressembler : « Moi aussi, j'abandonne mon bac. Cheers ! »

Vous rigolez en entrechoquant vos verres. Tu suivras l'exemple de Delphine sans doute, recourras aux deniers publics pour soigner ta maladie invisible : une force en toi se rebelle, exige un autre horizon.

En se penchant au-dessus de la table pour empoigner l'unique pichet où il y a encore de la blonde, Delphine entrevoit la paume d'Ariane posée sur la cuisse de Naïma. Elle cache sa gêne en se versant une pinte, tête baissée derrière ses cheveux chargés de statique. Réajuste sa tuque sur son front, prend une gorgée pleine d'écume, replace le sous-verre en carton devant elle, imbibé de l'alcool qui se précipite hors des récipients quand la table oscille sur le plancher inégal. Naïma s'est tournée vers son amoureuse, qui s'obstine toujours avec Simon : « Bien sûr qu'on contribue à l'embourgeoisement du quartier, qu'est-ce que tu crois, il est là le conflit de classe. » Naïma a glissé son bras entre le manteau et le dos d'Ariane, qu'elle caresse d'un geste subtil, connu d'elles seules. Delphine n'arrive pas à s'y faire, à cet amour qui lui a volé deux amies, malgré huit mois d'accoutumance ; c'est plus fort qu'elle, leur proximité la dérange. Sous ces gestes se cachent des chuchotements, des intimités qui la troublent. Souvent, elle se surprend à espérer que ça se termine, et cette pensée lui fait honte. Ses amies lui reviendraient, intactes. Ariane pourrait continuer de contredire Simon quand ça lui chante, Delphine s'en fout, c'est son caractère, mais l'idée que Naïma se rallie en secret à Ariane dans ses critiques la mortifie. Aux côtés de Naïma, Delphine a toujours

brillé. Elle peine à s'avouer combien elle souffre de
perdre son ascendant.

Après un verre ou deux la fatigue s'abat sur toi : tu basculerais de la chaise à ton lit, sans transition. Les autres, enivrés, poursuivent leurs échanges et tu te camoufles derrière des phrases et des rires. L'alcool te déborde, il éclabousse la table, la chaise, le plancher. Il faudra prendre une décision. Gagner poliment le droit de te réfugier dans ta fatigue privée ; décevoir Ariane qui s'amusait, elle, avec toi.

Tu sors fumer dans la cour aux relents d'urine et tu tangues, à la dérive sur un bateau depuis des semaines. Le bateau des sans-sommeil. Un camarade te parle de la futilité de l'art, voué à représenter le changement sans l'accomplir. Tu tires sur ta cigarette, élaborant des compositions avec les gens accotés contre la vitre. Ça brûle, la cendre tiède sur ta main, ça ne laisse pas de trace, à peine une petite morsure.

Le métro t'aspire. La tête appuyée contre la vitre, tu te laisses entraîner vers ta chambre en te projetant dans un autre lendemain, où ta mort n'aurait plus lieu. Tu te réveillerais d'un mauvais rêve, reviendrais là où tu te reposes, déployée dans un présent sans limites. Forte d'une nouvelle résistance, tu resplendirais de ce que l'exil t'a enseigné, tel un corps immunisé après avoir survécu à une terrible maladie. Une étrange clarté te précéderait. Sur les photographies, tes contours seraient nets.

L'été rouge

Une larme de sable perdue dans la mer, 2013

Nous sommes partis au moment où la ville menaçait de se refermer sur nous. Nous avons remonté le fleuve jusqu'à ce que la forêt reprenne ses droits, viré vers le sud, longeant une route grise où la noirceur descendait, trouée de phares hostiles. Nous n'avions pas le luxe de nous arrêter. Comment savoir si là-bas existe, demandions-nous en atteignant la mer, dans un stationnement où l'on attend en file un bateau improbable.

Dans l'appartement que nous avons délaissé, des amas de cheveux mêlés de poussière roulent le long des plinthes. Des punaises éclosent dans nos matelas, sucent le sang de nos sous-locataires français, qui se maudissent de ne pas avoir flairé la mauvaise affaire. Les drosophiles bourdonnent en nuage au-dessus de l'évier. La canicule persiste même à l'aurore, raccourcit le geste. Par la fenêtre, on entend des cris de spécimens variés, couples en discorde, félins en rut, intoxiqués en mal d'amour. Les courriels restent sans réponse.

La commune de la vieille école

À l'approche du premier lambeau de terre, tu rassembles ton duvet, ton oreiller, ton livre et ton appareil photo, boucles ton sac jaune maculé de boue, le balances sur ton épaule et gagnes le pont du traversier. Où est passé Nathan, ça n'a pas d'importance, il te trouvera bien quand il apercevra ces morceaux de grès rouge surgis de nulle part, qui attirent l'œil comme un aimant.

Les bras posés sur la rambarde, tu tires sur ta cigarette en détaillant l'étrange île bosselée qui défile devant toi : une étendue d'herbe tendre reposant sur des flancs abrupts, qu'on dirait sciés dans le roc. De ta perspective elle semble inhabitée, livrée aux flots et à la brume, qui stagne au sommet des collines. Tu distingues quelques points blancs dans les vallons, chevaux ou bovins broutant leur solitude de vent.

Tu t'attardes dehors malgré les rafales qui fatiguent la rétine, ta carte à la main, où tu repères le nom de l'île d'Entrée : l'île par laquelle on entre. Le bateau la contourne, fend la résistance des eaux. Voilà Nathan qui t'entraîne de l'autre côté du navire, vers l'archipel aux longs bras ouverts. La lande s'étire devant vous, habitations émaillant la plaine, offertes aux éléments.

Pour la première fois depuis que tu as pris la route, quelque chose en toi s'abandonne.

Vous arrivez dans un bâtiment ancien dont les murs laissent passer les chansons, les effluves de cuisine et de bois moisi. Croyant débarquer en inconnu, Nathan se constate de vieux liens : mêmes voyages, mêmes universités, mêmes grèves ; « ce n'est pas le monde qui est petit, c'est la famille qui est grande », aime répéter Delphine. Le groupe se défait et se reforme sans cesse : créature à mille têtes, il vous impose son rythme. Ceux qui travaillent n'échappent pas à son attraction, et si Nathan est mobilisé par les aventures communales – une virée à la friperie, un bain d'argile, une expédition vers une épave rouillée aux trésors inattendus –, c'est Simon qui vient te chercher à la fin du quart dans sa Tercel plaintive mais vaillante ; ainsi se ramifie la créature, ses bras dispersés sur l'archipel n'en perdent jamais le cœur.

D'une semaine à l'autre, on ne sait plus combien de personnes habitent la vieille école réaménagée en appartements de fortune et ça n'a pas d'importance, enfin, on s'en plaint parfois, avec douceur : les objets et la nourriture disparaissent, la vaisselle sale s'accumule, le chat urine de nervosité sur les vieux divans. Mais le soir, le vin partagé à la belle étoile fait oublier tout cela, et l'espace dégagé au-dessus, autour, en soi.

Du revers de la main, Delphine s'essuie la lèvre supérieure en enregistrant la commande de la table neuf à l'écran de service. Les tapas, c'est lucratif, mais entre les interminables successions d'assiettes à porter de la cuisine à la terrasse, elle s'éternise à pitonner les trois services en factures distinctes. La clochette du passe-plat retentit : les fish and chips de la sept sont prêts. Il ne faut pas laisser la nourriture refroidir, garder le sourire malgré l'impatience des clients chiants de la dix, qui réclament de l'eau. Pour se consoler, Delphine se compare : Naïma n'a pas l'air d'en mener large non plus. Elle débouche une bouteille de rosé telle une punk de sous-sol, le coude haut, les dents serrées ; heureusement le couple dont elle s'occupe a le visage débonnaire, on devine que ces gens-là profitent de leurs vacances sans emmerder les autres.

Comment peut-on avoir autant d'argent ? s'interroge Delphine en remplissant le pichet d'eau destiné à la table dix. Des enfants, une propriété, une voiture, un chalet, des factures de restaurant à deux cents dollars qu'on règle sans sourciller ? Elle, elle court d'une nécessité à l'autre pour payer ses études en enseignement, l'estomac vide et les bras chargés d'assiettes, et les dettes la poursuivent.

En frottant la surface collante de la six, Delphine rêve, comme les touristes, de retourner à la musique des vagues, la peau offerte à la générosité du ciel.

Tu rejoins la plage au sortir de la mer, t'enfermes dans tes paupières rouges, là où battent les étoiles. Nathan est loin, inaccessible; il échange des blagues en feux d'artifice avec Simon, invente des jeux enfantins, part rayonner dans les grottes, emportant le soleil avec lui. «On n'aurait jamais dû les présenter, décrète Delphine, c'est la bromance la plus insupportable du monde.»

Il y a des saletés sur la lentille de ton appareil, poussières d'aventure que tu ignores pour te cacher derrière, viser longtemps, attendre la photo parfaite: un trait d'ombre sur le visage de Chloé, la cuisinière du restaurant, ses lèvres charnues refermées sur une fraise. Tu reposes le Leica contre ton cœur, saisie par un désir vif et intermittent. Simon et Nathan repassent près de vous en se pourchassant avec des algues sèches, leurs grandes enjambées freinées par la mollesse du rivage, et tu pressens que cette complicité ne pourra pas exister entre Nathan et toi. Tu restes circonscrite à un rôle déterminé, celui du lit, de la chair, du mystère. Maintenant qu'il prend sa guitare, tu envies presque le temps qu'il lui consacre, à cet instrument qui restera dans sa vie bien plus longtemps que toi. Je ne veux plus t'attendre, décides-tu en rangeant ton Leica dans son boîtier, je ne t'attendrai plus.

*De la butte qui surplombe la commune, la mer s'étend
à perte de vue. Par temps clair, l'archipel se découvre,
sans obstacles, à des kilomètres de distance: chaque
chemin, chaque maison, chaque rivage exposé en
pleine lumière. Les îles se déplient comme une carte.
On voit et on est vu; on ne peut pas vivre caché. Par
endroits subsistent des forêts de conifères rabougris,
protégés les uns par les autres, rappels clairsemés
du continent. Les plus isolés poussent au ras du sol,
couchés sous les bourrasques; un enchevêtrement
de racines mises à vif. Plus loin, ce sont des landes
sauvages bordées d'églantiers, des gerbes de lupins
et, plus loin encore, là où une longue route relie Havre-
Aubert à Cap-aux-Meules, des marais salés, couverts
de joncs et d'oiseaux.*

Chassés-croisés

Tu l'as reconnue de dos dans la section des fruits : cas-quette kaki, grand chandail coupé aux épaules, sac banane noir en cuir synthétique, espadrilles blanches déformées, oui, c'est bien elle, Ariane en train de sentir un ananas. Elle tient le fruit renversé dont elle respire la base avec la fille qui l'accompagne, l'antithèse de toi, musclée, blonde, cheveux lisses à la hauteur du menton. Tu te diriges vers une autre rangée pour éviter le face-à-face, mais Ariane se retourne, la couronne de feuilles acérées entre les doigts. « Qu'est-ce que tu fais ici ? » vous exclamez-vous en feignant la surprise, comme si personne ne vous avait averties de la présence de l'autre. Il y a des coïncidences qui ne s'inventent pas. Une chance de quitter la ville à la dernière minute, prendre un pas de recul avec la routine ; évidemment on se retrouve tous dans la même planque, à poursuivre les mêmes discussions, ironisez-vous. D'ailleurs la bande se réunit ce soir pour un mariage d'amitié entre les colocs de la commune ; tu n'apprends rien à Ariane qui voulait s'y rendre et te lâche d'un ton sec : « On aurait besoin de se parler avant, tu crois pas ? »

À ce moment, Nathan surgit derrière elle en jonglant avec un citron et une pomme, trop absorbé par ses projets de guédilles pour relever le malaise. Tu voudrais épargner le spectacle de votre affection à Ariane, mais son visage se ferme, et en suivant Nathan vers la poissonnerie, tu te demandes ce qu'il t'en coûterait de la rattraper, d'affronter ses yeux de saint-bernard, d'oser lui dire, Sais-tu combien je t'ai aimée, comment j'aurais voulu t'aimer toujours.

Nathan conduit vite dans sa vieille Subaru bourrée de tentes, de matelas de sol et d'humains. À l'avant, Delphine s'improvise DJ; à l'arrière, Naïma et Chloé s'entassent avec un pouceux de dix-neuf ans qui sent la sueur. Nathan a beau enfoncer le pied sur l'accélérateur en dépassant le traînard qui les ralentissait, le bazou en arrache; il se rabat juste avant qu'un gros pick-up en sens contraire lui rentre dedans. La faute aux rafales qui secouent l'habitacle, il faudrait fermer les fenêtres mais Naïma fume. Le pouceux, lui, raconte son voyage dans l'Ouest canadien, persuadé que ça le rend spécial. Delphine monte le volume. Du rap criard mais pas méchant, *I wish that I could have this moment for life*, chante Nicki Minaj, et le pare-brise vibre dans les basses. À force d'y prêter l'oreille, Nathan commence à s'y faire: en vacances, on ne peut pas imposer des symphonies tourmentées de Wagner à tout le monde. À chaque tournant de la route dévoilant un autre paysage, Delphine a l'impression de découvrir une nouvelle saveur de chips. «C'est exactement ça, ex-ac-te-ment», approuve Naïma qui veut échapper aux élucubrations du hippie odorant. «Simon a dit le stationnement au bout du quai, vous croyez que c'est ici?» s'enquiert Delphine, scrutant une carte sur son téléphone, les deux pieds croisés sur le tableau de bord. Justement, on aperçoit la Tercel de Simon garée là. La tribu débarque, ciao bye le baba cool, et commence la quête sans fin des sandales et des couvertures de plage dans le vortex du coffre. On ne devinerait pas qu'au sommet de la grande dune couverte d'ammophiles on accède à une telle blondeur. Ils contournent un cap, élisent le spot parfait, une crique désertée des vacanciers. Alors Nathan se déleste de ses vêtements et se jette dans la déferlante, nage très loin dans l'eau qui épouse sa peau libérée, et sur la grève, tous font de même en s'extasiant de retourner nus au berceau de la vie.

Quand Ariane et sa copine font leur apparition, tu as de la mayo autour des lèvres et des filaments de homard s'échappent de ta guédille, pressés de regagner le large. Tu t'es trouvée dans des postures plus glorieuses. Ton estomac se referme, fébrile, sur ton sandwich à demi consommé, dont Nathan accepte l'autre moitié sans poser de questions. Pendant que la blonde musclée se joint aux autres, qu'elle connaît déjà, Ariane reste debout près de Delphine avec qui elle échange des propos enjoués, attendant un signe de ta part pour qu'ait lieu la discussion que vous n'avez cessé de reporter.

Tu rassembles ton courage émietté, te lèves et te diriges vers elle, qui roule une cigarette, un filtre au coin des lèvres. Sans que tu aies à le lui demander, elle t'en fabrique une, te la tend et l'allume en plaçant ses mains autour de la flamme. Comme avant. Vous voilà prêtes à vous éloigner du groupe. Vous monterez sur les falaises, suivant un sentier étroit qui domine les battures.

Maintenant qu'elles avancent sur la côte qui dentelle le golfe, Ariane perd de vue la lettre mentale qu'elle rumine depuis des mois. Naïma est plus chaleureuse que dans sa mémoire. Toujours aussi flottante, à moitié engagée dans l'instant; charmante, irritante. L'air marin lui est un vêtement léger qu'elle porte avec naturel, la peau dorée, le geste languide, épanoui. Heureuse sans elle. Égoïste dans sa joie comme dans sa souffrance. Ariane détourne son regard vers un point aveugle à l'horizon, là où la terre devient océan.

Naïma a retrouvé le sommeil du jour au lendemain. Ses comprimés l'assommaient dans un coma de neuf heures dont elle se réveillait de plus en plus distante, fermée. Elle n'avait plus besoin d'Ariane. Préférait rattraper le temps perdu avec les autres, s'abîmer dans ses études en graphisme, traiter celle qui l'avait soutenue en fardeau. «Je t'ai tellement attendue. J'ai donné sans compter pour être jetée, utilisée. Et quand j'ai eu besoin d'explications, tu m'as imposé le silence.»

Les épaules de Naïma se courbent vers l'avant, coupables, et Ariane constate que la dette dont elle l'accuse ne pourra pas être acquittée. Le cœur de Naïma est trop pauvre, trop démuni – privé d'amour à la racine. Les caps se brouillent un instant puis ils redeviennent nets, coiffés de gerbes de foin fragile. Il n'y aura pas de justification. «Ce qu'on a vécu est vrai», dit pourtant Naïma, d'une voix si sincère qu'Ariane n'arrive plus à maintenir ses défenses. «Et c'est pas parce que je suis partie que j'ai pas souffert.»

Elles arrivent là où les caps s'évanouissent dans le sable, fine langue tracée entre deux îles. Ariane s'est radoucie. Elle est prête à rebrousser chemin vers la fête. Le dialogue redevient léger, fluide; il y a tant à dire depuis une année de séparation, où tout a changé en elles et autour d'elles. La distance qui les sépare des autres rétrécit vite. Quand elles aperçoivent leurs amis essayant leurs costumes, Ariane pose la question qui lui brûle les lèvres:

«Dis-moi, tu l'aimes, le gars de l'épicerie?»

Pieds nus sur le sable frais, les colocs de la commune se serrent tour à tour dans leurs bras, vêtus d'habits de mariage en cuirette et motifs léopard. Derrière eux, la lune rousse émerge sur un fond lilas : on tire des polaroïds au kitsch spectaculaire. La bande siffle et applaudit avant de porter un toast enthousiaste aux amitiés, consacrées par des bagues en bonbon et des couronnes de marguerites. Sur une glacière, Naïma découpe des carrés de gâteau Deep'n Delicious qui s'affaissent dans leurs assiettes en carton. La nuit tombe, parfaite, presque sans vent. La MDMA circule en quantités appréciables, la musique pulse, sans autre obstacle que la rumeur du ressac. Ça parle de déménagements, de cœurs brisés, du plus bel été jamais partagé, d'août qui s'achève déjà, attendez, et si on restait ici pour toujours ? L'électro porte si loin qu'il attire d'autres fêtards, le pouceux et ses acolytes qui se contorsionnent avec passion en invoquant les rituels lunaires. Les danseurs se frôlent de plus en plus près, jusqu'à ce que le désir devienne brûlant, insupportable. Naïma et Chloé s'enfuient dans les dunes, reviennent main dans la main, ivres de leurs premiers rapprochements. Nathan se venge en courtisant une de leurs voisines, sans succès. Quand Simon lui propose de l'embrasser afin de sauver son honneur, Nathan hésite assez longtemps pour que Simon se sente tenu de préciser que c'était une blague, seulement une blague. Les phalanges contractées sur sa canette, Nathan se réjouit sadiquement des coups d'œil compulsifs d'Ariane sur Naïma, qui embrasse sa conquête. Il se décide enfin à aller vers Naïma, l'entraîne à l'écart, mais elle résiste. «Non, Nathan. Ou tu me choisis, ou tu me laisses faire ce que je veux.» Estomaqué, Nathan cherche des arguments. Il n'avait pas anticipé que ses principes de polybataire puissent se retourner contre lui. «Je t'aime», s'entend-il dire, comme si cet aveu pouvait la retenir. Naïma soupire: «Moi aussi, je t'aime.» En la serrant dans ses bras, il voit Chloé s'allumer une cigarette près des haut-parleurs, déçue. «Je vais aller lui parler», le rassure Naïma, mais il décèle du regret dans sa voix.

Un tressaillement près de la toile te sort du sommeil. Dehors c'est l'aube; une lueur glisse, bleutée, sur les tentes dispersées dans un cimetière de bouteilles. Tu t'accroupis sur la dune. Entre tes pieds, ton urine creuse une tache sombre dans le sable. C'est là que tu le vois. Un renard roux, camouflé parmi les herbes, immobile. Tu le fixes sans bouger, te relèves calmement et avances dans sa direction, pas à pas. Puis d'un bond le renard fuit, ondulation châtaine dans les graminées, et avec lui trois de ses semblables. Leurs fourrures tracent des sillons dans le paysage, s'arrêtent, leurs têtes pointées dans ta direction, reprennent leur course avant de disparaître complètement, indiscernables.

En te rendormant, tu poursuis la route des renards jusqu'au fleuve, furtive et libre dans un été qui ne se termine jamais.

Je ne serai pas sauvée

Vers le nord, 2019

Le temps suspendu

Le docteur a signé ton arrêt de travail un matin de juin. Une affaire de quelques jours, as-tu écrit à tes supérieurs. Les nuits n'avaient cessé de rapetisser depuis ton embauche au gouvernement, deux ans plus tôt. Tu as fermé les paupières sur ta lassitude. Les nuits ne se sont pas rallongées.

Sur les billets médicaux, la semaine prescrite s'est transformée en mois, le mois en saison. C'était l'été : les parcs sentaient la viande grillée, les gens tombaient amoureux. Toi, tu pleurais en marchant vers l'épicerie. Et ça durerait longtemps. Très longtemps.

L'automne et l'hiver se sont succédé derrière ta fenêtre – les feuilles pleuvaient des arbres, morts dehors, vivants à l'intérieur – ; tu attendais que ça passe, casseroles accumulées sur les comptoirs.

Aujourd'hui, tu consultes tes messages : une subvention t'est accordée. Tu dévales l'escalier jusqu'au parc où la neige te reçoit, abasourdie.

Tu ne retourneras plus au parc industriel.

Tu rends visite à Delphine dans sa maison dont elle ne sort plus qu'au prix de négociations éreintantes avec la mélasse familiale. À ton arrivée, ses jumelles de trois mois poussent des vagissements stridents tandis que Simon, affalé sur le divan avec Ludovic, monte le son des dessins animés. Excédée, Delphine finit par boucler les filles dans un double landau que vous promenez sous les pommiers en fleurs pour qu'elles s'endorment. Le carrosse pèse une tonne : «Les abdos que je me fais, ma fille, tu n'y croirais pas.» Les traits de ton amie sont tirés, et sous son entrain apparent, tu reconnais les signes certains de la dépression qui t'a happée plus d'une fois, celle de ta mère, de toutes les femmes dépassées par une histoire plus grande qu'elles.

«C'est difficile», te confie Delphine, ce qui, dans sa langue pudique et optimiste, signifie : je n'en vois pas le bout. Simon a recommencé à boire. Pris d'une mégalomanie de rénovations, il amorce des chantiers qu'il laisse en plan durant des semaines : piles de lattes en contreplaqué, peinture à moitié refaite. «Cette maison, on dirait Montréal en été, avec des obstacles et de la frustration partout.» Prise à la gorge par son hypothèque, ses paiements de voiture, ses enfants, Delphine ne peut pas se permettre d'envisager une séparation. À sa façon de t'interroger sur ta future résidence en Islande, tu comprends qu'elle aimerait vaguement se réveiller dans ta vie. Tu ne sais pas lui dire que ta liberté vient aussi avec une solitude, féconde, oui, mais aussi rêche, endurcie.

Ariane t'accueille en juillet dans la grande habitation de campagne où elle s'est établie, un manoir affectueusement surnommé Gouineville pour des raisons qui se passent d'explications, bien qu'y vivent entre autres une pansexuelle et une personne non binaire répondant au pronom *il*. Les invitées y sont toujours bienvenues, et on y a aménagé un immense atelier où se bricolent meubles, sérigraphies, zines et textiles. Tu t'y installes au petit matin, un expresso au creux de tes paumes, pour travailler tes images. L'après-midi, tu sors flatter les poules (elles caquettent oisivement sur le terrain, affectueuses), ramasser les œufs, étêter le basilic, la menthe et l'origan, décoller les bibittes à patates des feuilles où elles s'agrippent, tes deux genoux plantés dans la terre. Ou bien tu enfourches le vieux vélo remisé dans la grange et pédales jusqu'au boisé le plus proche, que tu arpentes en herborisant. Puis, de retour à Gouineville, tu prépares avec les autres un souper végétarien dans les fous rires, et tu t'étonnes que ce soit arrivé si tard, la rencontre d'une communauté dont tu partages exactement la sensibilité. Ariane répond que le problème, avant, c'étaient les dudes, et la tablée approuve en rigolant. Ton assiette vidée, tu te cales contre le dossier de ta chaise en admirant la jungle de plantes qui ornent les armoires et les étagères de la cuisine. Gouineville est un paradis, mais tu ne peux pas y rester indéfiniment. Il te faut un refuge où retourner après la compagnie des autres; mais peut-être que cet ancrage peut voyager avec toi, que tu trouveras le courage de t'établir près d'elles, quand l'épuisement t'aura affranchie.

«Je ne sais pas si j'ai vraiment aimé depuis toi, Ariane. Avec Nathan, on était de bons amants, qui se fréquentent sans s'engager. Je me sentais seule avec lui. Et depuis, mes tentatives de vivre de grandes histoires ont échoué. Les autres préfèrent les bien-portantes.

— C'est une fable que tu te racontes, ça. Ta prétendue défaillance ne m'a jamais empêchée de t'aimer. Et il y en aura d'autres.»

Je voudrais davantage de vent. Une force qui me prend et me ravit, un élément qui défierait mon poids terrestre; je n'aurais pas le choix. Je me laisserais partir. Le vent me nettoierait comme une vague. Il me guérirait.

Faire de soi une montagne

Dans la résidence d'artistes reculée où tu atterris, bagages dépliés sur un lit fruste, le soir ne tombe jamais. La brume s'immisce entre les montagnes, mince filet striant les alpages, enserrant le village isolé entre l'océan et les pics rocheux qui s'élèvent durement au-dessus de lui.

Dans ta chambre éclairée par le soleil de minuit, tu lis que l'Islande est un accident de l'écorce terrestre, une île surgie d'une faille dont le magma a fait naître ces sommets abrupts, patinés par des siècles de glace. Ce pays te ressemble, agite en toi des forces inquiétantes. Les nuages s'attardent, bornés, pèsent sur vos infimes têtes nues.

Tu es au bout du monde et l'appréhension ne te quitte pas. Tu la connais si bien, elle a les contours d'une habitude.

Les allers-retours quotidiens entre ta maison et le centre névralgique du village, où se situent l'atelier et l'épicerie, s'éternisent. Plus que la distance réelle, c'est la perception de la distance qui est longue. Le jour dévore la nuit, le temps se dilate. Tu ne sais plus quoi faire du vide entre les bâtiments, les gens, les pensées. Est-ce la solitude qui mène à la création, ou la création qui conduit à la solitude?

Dans l'atelier, tes compagnons cherchent à retrouver l'envoûtement initial, celui qui a fait de leur pratique le sel de leur vie. Il arrive que l'on n'ait rien à tirer de soi-même, en particulier dans les circonstances les plus idéales. Alors tu retournes dans le dehors coupant, le dehors silence, chercher l'intuition.

Dans la maison voisine, les Autrichiens ont cuisiné de la polenta, l'Américain des pilons de poulet, la Sino-Britannique des dumplings, et toi de vulgaires pommes de terre, avec lesquelles tu es arrivée en retard, quand tout le monde avait mangé. Vous faites connaissance dans un intérieur scandinave dépouillé. Les Viennois sont discrets, intellectuels et ironiques. L'Américain, drôle et réservé. La Sino-Britannique se couche tôt. L'Argentine, qui habite avec toi, a pris l'avion en plein épisode de manie. Maintenant, c'est la déprime, l'autre versant de la polarité. Faute de moyens pour devancer son retour, elle est coincée en Islande. Rien de tel qu'une vulnérabilité partagée pour se comprendre. Elle encourage tes phrases hésitantes de hochements de tête bienveillants qu'elle ponctue d'anecdotes intenses et trop personnelles. Parfait. Tu adores les gens qui se dévoilent facilement. Une fille qui part en voyage avec de l'argent prêté : la définition d'une sœur. Vous finissez la soirée seules dans votre salon à interpréter vos cartes du ciel respectives, avalant des gorgées de rhum bon marché à même le goulot. Vos lunes en Poissons achèvent de sceller votre amitié. Les astres le confirment: votre sensibilité vous tue, et pour compenser, vous passez votre existence à fuir la réalité. Voilà d'excellentes raisons de souffrir, concluez-vous avant de tomber comme des masses dans vos chambres où le soleil ne s'est jamais couché.

Au moment où tu voudrais capter l'image elle se défait, le ciel pâlit, la lumière se diffuse, décolore ce qu'elle touche. Aurais-tu perdu le don de regarder? L'appareil tombe contre ta poitrine, la ganse pèse sur tes cervicales. Rien n'est aussi improbable, aussi éblouissant que ce disque jaune pâle perçant le brouillard, affleurant du fond de l'air glacé. Tu as trente-deux ans et tu n'as rien accompli; peut-être n'accompliras-tu jamais rien qui en vaille l'espoir, la peine, le désir; peux-tu l'accepter, peux-tu exister avec cela?

Tu n'es pas différente des adolescents du village, crevant d'ennui sur le quai, d'où ils jettent à bout de bras de lourdes pierres dans l'eau poissonneuse; attendant comme eux que jaillisse *la vraie vie*.

Tu marches avec l'Argentine jusqu'à votre maison le long du port où sommeillent les bateaux. Il est tard, la bise attaque vos peaux fragiles mais joyeusement vous l'ignorez, pépiant, quelle heure est-il, crois-tu que le soleil se lève ou se couche, difficile à dire et au fond qu'est-ce que ça change, nous avons notre temporalité propre, des soirées interminables à barboter dans nos obsessions, mangeant à peine, évitant les conversations pour ne pas perdre le fil; et lorsque nous sortons enfin de cette hypnose, que nous ouvrons la porte qui mène au dehors, le décor nous éblouit, toujours aussi permanent, ah oui, nous l'avions presque oublié, avec sa montagne fière, escarpée, qui entend tout. Comme c'est exaltant, cette légèreté d'être deux, ces rires qui dérangent les foyers endormis, complices malgré cette langue qui n'est pas la vôtre, les mots qui se refusent à nommer exactement ce que vous sentez.

Vous faites halte devant la baie phosphorescente, accroupies sur les rochers. L'Argentine a des cigarettes, vice que tu ne t'interdiras pas. Les premières bouffées piquent la gorge, puis montent à la tête, un délicieux tournis. Quelle chance de s'être trouvées, chantonnez-vous, malgré tout le reste, la mort dont on ne sort jamais. L'Argentine gesticule, flamboyante, et soudain tu n'as plus froid, tu te découvres réunie dans une présence mauve, irradiante.

Un matin, vous prenez la route circulaire, celle qui suit le littoral, vers les volcans millénaires bordés de fumerolles. Des chaînes pyramidales se dressent autour de vous, chaussées de rivières impétueuses au lit clair, où viennent s'abreuver les moutons. Dans la voiture, l'Autrichienne et l'Argentine se taisent. Vous louvoyez entre les obstacles, sur le flanc des fjords, et quand le passage est impossible, vous empruntez un tunnel étroit perforé dans le roc.

Voici la péninsule. Vous plongez dans les sources chaudes, face à la mer. Les bains fument, cavités ouvertes dans la pierre, et vous restez immergées jusqu'aux épaules, absorbant le spectacle. La vue de cette beauté a quelque chose d'insoutenable. Ça brûle les yeux. Qu'êtes-vous venues chercher ici?

Vous avez répondu à l'appel de la guérison – au mythe voulant qu'on ne puisse sortir de ce pays sans en être transformée. C'est un appel semblable qui vous guide lorsque vous revenez à votre appareil photo, à vos tubes de peinture, à votre manuscrit – un mirage qui aussitôt atteint se dissout. Mais peut-être que la véritable maladie réside dans l'illusion selon laquelle on sera, un jour, réparée ; peut-être faut-il moins guérir de la souffrance que de l'idée de la guérison.

Dans les champs entourant la résidence, il y a un cimetière où se côtoient de vieilles plaques scellées au sol, portant des noms aux lettres greffées de traits et d'accents inconnus. On y entre par une petite arche blanche, sous laquelle on peut sonner une cloche pour avertir les morts qu'on est venu se souvenir d'eux. Ici dorment des corps blonds aux visages décolorés, anéantis par la rigueur des hivers sans soleil, le quotidien du poisson, le bois qui manque, les enfants qui ont faim. L'herbe grasse absorbe les sons, palpite avec la brise. Comme il doit être doux de se déposer ici après avoir lutté si durement. Oui, tu en as la certitude, alors que tu erres parmi les ombres livides : les morts vivent mieux que nous.

Tu te couches dans le paysage et tu disparais. Tu deviens la prairie attendant la morsure des chevaux; si les nuages te regardent, c'est toi leur ciel. Près de toi repose ta besace lourde de cailloux, de tessons de bouteilles recrachés par les marées, de crânes et de plumes d'oiseaux – traces du réel cumulées pour te rappeler que tu en fais partie.

Tu dirais aux goélands:finissons-en. Plante, je pousserais sans réfléchir, feuilles tournées vers les hauteurs; animal, je fuirais à l'abri des humains, tapie dans un terrier de tourbe je m'endormirais avec le couchant, délivrée de la raison.

Ferme les yeux. Tu es restée la même pendant que tournaient les heures, les années; tu es restée la même et pourtant tout est différent. Des crevasses se sont formées sur tes doigts, autour des jointures; tes mains se sont changées en écorce. Ouvre les yeux. Peux-tu pleurer, ici? Pleurer comme un enfant qui naît, pleurer:vivre. Tu te laisses couler dans la plaine, pluie salée sur les joues. Et tu ne vas pas en mourir.

Tu gravis la sévère pente de roc sans regarder en bas, muscles brûlants et mains ballantes de chaque côté du bassin, suivant la piste tracée sur le versant de la montagne dans la détermination la plus farouche. Comme elle tu veux t'élever, avoir droit à la vue des aigles. Mais imperceptiblement le sol se dresse, vertical, devient glissant, et tu tombes sur tes genoux, agrippes avec peine la surface parsemée de petits cailloux. Il n'y a aucune prise, les pierres dévalent la pente, sous toi c'est la chute libre. Mourras-tu maintenant ou dans un demi-siècle, impossible de le savoir, ce que tu sais c'est que tu ne peux plus bouger, et que d'autres sont morts en prenant le même chemin. Alors tu te retournes, t'assois, soulèves les pieds, et tu glisses jusqu'en bas, d'un fracas à l'autre, tandis que la rocaille guide ta descente, lacère ta peau, s'immisce dans tes chaussures et tes cheveux, jusqu'à ce que tu retrouves le monde des vivants.

Table

Bande sonore

Les saisons de l'amitié

Icona Pop et Charli XCX, «I Love It» (Charlotte Aitchison, Linus Eklöw, Patrik Berger), This is... Icona Pop, Ten Records, 2013 (2'37)
PTAF, «Boss Ass Bitch» (Kandise Nathan, Keyona Reed, PTAF, Shontel Moore, Eric Tandoc), 3 The Hard Way, Artistry, 2014 (3'34)

Quatre cent soixante-deux nuits sans sommeil

Joy Division, «Love Will Tear us Apart» (Bernard Sumner, Ian Curtis, Peter Hook, Stephen Morris), The Best of Joy Division, London Records, 2008 [1980] (3'27)

L'été rouge

Nicki Minaj et Drake, «Moment 4 Life» (Tyler Williams, Aubrey Graham, Nikhil Seetharam, Onika Maraj), Pink Friday, Cash Money Records, 2010 (4'39)

Remerciements

Merci à toutes les personnes qui m'ont encouragée à mener ce livre à terme, plus particulièrement à Claude Périard, Karine Rosso, Gabriel Beauséjour, Valérie Roch-Lefebvre, Julie Francoeur et Camille Toffoli.

Toute ma gratitude à Phanie Bernier et Olivier Saint-Pierre pour leurs souvenirs de grève ; à Frédéric Chabot pour son expertise en skate ; à Emmanuelle Aïsha Taillon-Sparkes et Virginie Claveau pour leur lecture sensible des segments familiaux ; à Brigitte Leblanc, Valérie Lefebvre-Faucher, Catherine Lavarenne et Mélanie Landreville pour leurs témoignages sur la maternité (et leur précieuse amitié avant tout).

Je ne saurais exprimer l'étendue de ma reconnaissance aux personnes qui m'ont prêté leur maison pour écrire : à ma mère pour le presbytère, à Catherine pour le chalet de novembre, à Olivier pour la maison bleue, aux amis des Îles, du bas du fleuve et de la Gaspésie.

Merci à mes parents pour leur appui inconditionnel dans la voie que j'ai choisie.

Merci à mon éditrice Geneviève Thibault et à ma lectrice Kiev Renaud pour l'intuition toujours juste, ainsi qu'à l'équipe du Cheval d'août.

Merci au Prix de la création Radio-Canada, au Conseil des arts et des lettres du Québec et au Conseil des arts du Canada pour leur soutien financier et symbolique, sans lequel je ne me serais jamais rendue ici.

*

Les deux suites réunies dans « C'était tellement parfait hier » sont parues respectivement dans le n° 2 de <u>Filles missiles</u> et sur le site de Radio-Canada, sous une forme antérieure.

Plusieurs fragments originaux de « Je ne serai pas sauvée » ont été enregistrés et intégrés aux créations sonores de Noah Jordan ainsi qu'à une vidéo artistique de Hadar Mitz dans le cadre d'une résidence à Nes, en Islande.

Maryse Andraos

Maryse Andraos est née en 1988. Titulaire d'une maîtrise en création littéraire, elle a été éditrice aux Éditions du remue-ménage et se consacre aujourd'hui à l'écriture. Elle a publié des textes dans plusieurs collectifs, dont Histoires mutines (Remue-ménage) et Cartographies III : Translations (La Mèche). En 2018, elle a remporté le Prix de la nouvelle Radio-Canada.

Le Cheval d'août

Collection « Coursière »

Maryse Andraos
Sans refuge

Le vingt et unième titre publié au
Cheval d'août, sous la direction
littéraire de Geneviève Thibault.

Conception graphique
L'identité et la maquette du
Cheval d'août ont été créées par
Daniel Canty, en collaboration avec
Xavier-Coulombe Murray et l'Atelier
Mille Mille.

Mise en livre
Jolin Masson

Photographie en couverture
Hadar Mitz (hadarmitz.com)

Révision linguistique
Myriam de Repentigny

Correction d'épreuves
Marie Saur

La citation-cheval est tirée
du Torrent d'Anne Hébert.

Le Cheval d'août
5666, rue des Érables
Montréal (Québec) H2G 2L8
lechevaldaout.com

Le Cheval d'août remercie de son
soutien financier la Société de
développement des entreprises
culturelles du Québec (SODEC).

Le Cheval d'août bénéficie du
Programme de crédit d'impôt pour
l'édition de livres du gouvernement
du Québec (gestion SODEC).

Dépôt légal, 2021
Bibliothèque et Archives nationales
du Québec
Bibliothèque et Archives Canada

ISBN 978-2-924491-43-0

Distribution au Canada
Diffusion Dimedia

Distribution en Europe
Librairie du Québec à Paris

Sans refuge a été composé en
Domain Text, un caractère dessiné
par Klim en 2012, et en Post
Grotesk, un caractère dessiné par
Josh Finklea en 2011.

Ce premier tirage de Sans refuge a
été achevé d'imprimer à Gatineau
sur les presses de l'imprimerie
Gauvin pour le compte du Cheval
d'août au mois d'octobre 2021.

La bête a été délivrée.
Elle a pris son galop
effroyable dans le monde.